Bernadette Chovelon – Marie Barthe

Expression et style

Corrigé des exercices

Presses Universitaires de Grenoble

CATALOGAGE ELECTRE-BIBLIOGRAPHIE

Chovelon, Bernadette*Barthe, Marie

Expression et style : corrigés. – Saint-Martin-d'Hères (Isère) : PUG, 2002. – (Français langue étrangère)

ISBN 2-7061-1083-X

RAMEAU :   français (langue) : grammaire : manuels pour allophones
                   français (langue) : grammaire : exercices

DEWEY :   374.5 : Formation des adultes. Méthodes d'expression écrite et orale

Public concerné : Perfectionnement

© Presses Universitaires de Grenoble, 2002

BP 47 – 38040 Grenoble cedex 9

Tél. : 04 76 82 56 51 – Fax : 04 76 82 78 35

e-mail : pug@pug.fr   http://www.pug.fr

Imprimé par Dumas-Titoulet Imprimeurs

Imprimeur n° : 37410

ISBN 2 7061 1083 X

Conseils d'utilisation

Expression et style est composé de quinze dossiers qui comportent chacun des parties différentes.

Pour le *texte de sensibilisation*, l'initiative est laissée aux utilisateurs. Il s'agit de repérer dans le texte proposé les différentes articulations logiques étudiées dans le dossier. Le repérage le plus simple consiste à souligner dans le texte donné les éléments grammaticaux et lexicaux proposés afin de voir comment ils fonctionnent à l'intérieur du texte. Le corrigé propose la mise en valeur par un graphisme en italique des relations logiques étudiées.

La présentation des *outils grammaticaux et lexicaux* a pour but la classification et la mémorisation des éléments repérés dans le texte de sensibilisation. Chaque professeur pourra les utiliser à son gré. Mais pour la vérification d'une bonne compréhension et la mémorisation, nous suggérons de demander aux élèves de reconstituer l'exemple proposé dans un contexte différent, tout en gardant la structure indiquée.

Nous donnons le corrigé des exercices systématiques oraux et écrits. Pour les exercices d'imagination ou de création, il est toujours difficile d'imposer un modèle. Nous indiquons alors au début de l'exercice que la réponse n'est qu'une suggestion et laisse ainsi la place à toutes les propositions.
Les phrases des exercices sont volontairement et progressivement de longueur variable afin d'amener l'apprenant à élargir son expression. Il convient donc toujours de les reformuler en entier.

En ce qui concerne les exercices dits « à trous », nous attirons l'attention des utilisateurs sur les deux étapes nécessaires pour que ces exercices soient efficaces Si l'on se contente d'écrire sur le livre la bonne réponse dans le trou laissé en blanc, l'exercice ne sera pas profitable. La finalité de cet enseignement étant l'enrichissement de l'expression, il est tout à fait essentiel de reformuler la phrase dans son intégralité. D'abord par écrit si cela est trop difficile, puis oralement, puis avec un autre exemple si possible. La mémorisation dans un premier temps, puis la spontanéité dans un deuxième temps ne peuvent se construire qu'avec ces exigences.

Pour aller plus loin propose des travaux plus complexes. Selon le niveau de la classe, il est possible de les supprimer ou au contraire de s'y attarder sans nuire à la progression de l'ouvrage.

Les *jeux de rôles* sont proposés comme travail collectif par petits groupes dans la classe. Ces travaux de groupe sont essentiels. Ils peuvent être ébauchés par écrit puis laissés à la spontanéité du groupe au moment où il le présentera dans la classe. Ils ont pour but de faciliter et d'enrichir l'expression orale.

Partie 1

Les articulations logiques de la langue française

L'expression de la cause

Texte de sensibilisation

Tous les outils lexicaux et grammaticaux utilisés ainsi que les causes exprimées ou sous-entendues sont en italiques.

LE CALVAIRE D'UN FUMEUR

Il voulut s'arrêter de fumer *non qu'il en sentît* précisément le besoin, *mais* tout simplement *parce que* sa femme ne supportait plus l'odeur de la fumée et le menaçait de mille maux, entre autres de le quitter.

Depuis longtemps il se préparait à cette bataille *car* il savait que tôt ou tard il ne pourrait s'y soustraire; mais il ne savait pas s'il pourrait en sortir vainqueur en dépit des exhortations de plusieurs de ses amis.

Il s'était donné des délais: « *étant donné* que les semaines commencent un lundi, pensait-il, il est logique que je commence un lundi *car* il est apparemment plus facile d'entreprendre des efforts au début de la semaine qu'à la fin ».

Le lundi suivant, il partit au bureau *sous l'emprise de* ses nouvelles résolutions. Comme tous les matins depuis dix ans, sa secrétaire lui apporta le courrier; *étant donné* sa réputation de fumeur invétéré, elle l'accompagna comme à l'ordinaire d'un paquet de cigarettes neuf et d'un cendrier, *car* elle déplorait chez lui la fâcheuse habitude de jeter ses mégots par terre.

– « Ah non, Virginie, pas aujourd'hui. J'ai pris la résolution de ne plus fumer, *étant donné* que ma femme ne peut plus supporter mon odeur de tabac froid et me repousse chaque fois qu'elle voit mes doigts jaunis de nicotine. Cette fois-ci je m'y tiendrai. »

Comme la secrétaire le connaissait bien *et qu'*elle savait que la même scène se reproduisait régulièrement, elle se retira en silence en dissimulant un léger sourire: elle enferma soigneusement dans son tiroir le paquet de cigarettes.

Dans le milieu de la matinée, le besoin de fumer se fit sentir. *Sa tête était plus lourde et il grignotait tristement* le bout de son stylo ayant ainsi l'illusion d'avoir une cigarette entre les lèvres… *Comme* il était prévoyant, il avait acheté des bonbons à la menthe avant d'aller au travail. Il commença à en sucer un, puis un autre, *parce que* lui avait dit un collègue, cela devait lui permettre de mieux supporter le « jeûne ».

– « *Comment suis-je devenu un tel fumeur*, se disait-il silencieusement? Il y a dix ans, je ne connaissais pas le plaisir de la cigarette et maintenant je suis totalement sous l'influence du tabac. » Il cherchait des *explications* ou plutôt des *excuses: pourquoi donc* était-il ainsi si dépendant?:

– *tout simplement parce que* ses collègues fumaient sans cesse et lui en avaient donné le goût ;

– *parce que* l'euphorie qu'il ressentait sous l'emprise du tabac était agréable ;

– *parce que* les mauvaises habitudes se prennent insensiblement ;

– *parce que* chaque fois qu'il avait essayé de s'arrêter il avait rencontré quelqu'un qui lui avait proposé une cigarette apparemment anodine.

Toute la journée il suça tristement ses bonbons à la menthe. Il était au supplice *car* le goût du tabac n'est comparable en rien à celui de la menthe.

À six heures, au moment où il s'apprêtait à partir après avoir minutieusement rangé ses affaires en mâchonnant le chewing-gum de la dernière chance, son patron entra brusquement dans son bureau : « Je suis content que vous soyez encore là *car* justement j'avais une question urgente à vous soumettre. Je voulais vous parler de l'affaire Deschamps *puisque* vous en êtes *l'initiateur* et le *responsable*. Je n'ai pas encore eu le temps d'en discuter avec vous *car* j'étais en voyage. Pour commencer, vous prendrez bien un petit cigare comme d'habitude ? Ceux-ci sont extraordinaires ; je les ai rapportés de La Havane. Ici on ne les connaît pas. Vous m'en direz des nouvelles. »

Et il n'eut pas le courage de refuser *sous prétexte que* l'offre venait de son patron.

Pour communiquer

1 p. 12 / Exercice de créativité laissé à la liberté de chacun. Nous ne donnons qu'une suggestion pour les premières réponses.

1. Parce qu'il conduisait en état d'ivresse. — 2. Parce qu'il avait travaillé dans ce théâtre l'année dernière — etc.

2 p. 13 / Exercice d'imagination

1. L'assassin voulait avoir l'argent de la victime — etc.

Exercices écrits

1 p. 13

1. sais — 2. a su — 3. a pu — 4. soit — 5. était — 6. payez, êtes — 7. prenez — 8. avons — 9. n'ayons pas eu confiance, n'étions pas d'accord.

2 p. 13 / Les causes logiques ne sont ici que des propositions ; vous pouvez en choisir beaucoup d'autres.

1. la grève — 2. que tu y vas avec ton ami — 3. la boisson — 4. ton achat est retenu — 5. il a trahi ma confiance — 6. mon hygiène de vie — 7. se vanter — 8. d'aider — 9. de vin — 10. à ma demande — 11. qu'il était malade — 12. j'ai une bourse.

3 p. 14 / a) Comme

1. Comme il pense être le seul à détenir la vérité… — 2. Comme il connaissait le chef de service… — 3. Comme il n'avait pas eu le temps de prendre connaissance… — 4. Comme il était dans les mains d'un bon médecin… — 5. Comme il avait des dons d'imitation…

b) Étant donné

1. Étant donné qu'une amie m'avait recommandé ce livre… — 2. Étant donné que je n'aime pas garer… — 3. Étant donné qu'il y avait du brouillard… — 4. Étant donné que vous n'avez pas signé votre carte d'électeur… — 5. Étant donné qu'il avait eu une bonne conduite…

c) Gérondif

1. Ayant une famille nombreuse… — 2. Ne voulant pas aller en classe… — 3. Ayant bien vendu son appartement… — 4. Ayant pu obtenir une bourse… — 5. Les tableaux que je veux t'offrir étant très fragiles…

d)

1. À force de travail… — 2. Du fait de sa maladie (de son état de santé)… — 3. Pour ses exploits militaires… — 4. Sous le coup de la colère… — 5. En raison de sa vieillesse, ou de son grand âge…

4 p. 14 / Exercice d'imagination : suggestions

1. C'est en osant conduire dans des endroits difficiles qu'on apprend à conduire. — 2. Sous le couvert d'une corvée familiale à accomplir, il a fait un voyage touristique. — 3. Sans son courage, il n'aurait pu se lancer dans une telle entreprise. — 4. Sous l'impulsion de son parti il s'est présenté aux élections. — 5. À force d'exaspérer son mari, elle lui a rendu la vie impossible. — 6. Sur les conseils de mon médecin, j'ai changé de traitement. — 7. Sous l'emprise de la drogue, des jeunes ont cassé des cabines téléphoniques. - 8. Grâce à toi j'ai pu faire mon travail. — 9. À force de se faire bronzer, il a attrapé des coups de soleil. — 10. Faute de renseignements, je n'ai pu obtenir ce que tu m'avais demandé.

Pour aller plus loin

1 p. 15

1. l'auteur — 2. les inventeurs — 3. les créateurs — 4. le fondateur — 5. l'initiateur — 6. les concepteurs — 7. les pères — 8. le promoteur — 9. les instigateurs.

2 p. 15

1. motivation — 2. mobile — 3. raisons — 4. motifs — 5. sujets — 6. l'origine — 7. ferment — 8. le pourquoi — 9. source.

3 p. 15

1. d'autant plus qu'il est très glissant… — 2. d'autant plus que lui ne dit… — 3. d'autant plus aimée… — 4. d'autant moins tes bontés… — 5. Il travaille d'autant plus… — 6. d'autant plus qu'il avait étudié… — 7. On a d'autant moins envie… — 8. On hésite d'autant plus… — 9. On prête d'autant moins attention… — 10. Il réussit d'autant plus…

4 p. 16

1. Réussir ses examens. — 2. Découvrir de nouveaux sites, de nouveaux paysages, une civilisation différente. — 3. Ne pas se faire prendre tout en roulant les autres. — 4. La bonne réussite de ses élèves. — 5. Augmenter le nombre de ses lecteurs pour faire le plus gros tirage possible. — 6. Inventer de nouvelles recettes toujours plus savoureuses.

Texte p. 18

1. Celui qui parle est quelqu'un qui regarde tomber la pluie.

2. Il se laisse envahir par une tristesse qui l'accable.

3. Il ne trouve pas vraiment les causes de sa peine. Tout et rien.

4. La cause profonde est un mal-être général.

5. D'une façon négative : *sans amour et sans haine.*

6. C'est un état d'âme difficile à vivre qui ne porte ni à l'action ni au dynamisme. Il faut lutter pour ne pas se laisser envahir.

L'expression de la conséquence

Texte de sensibilisation

LES CONSÉQUENCES DE L'ATTENTAT DU 11 SEPTEMBRE 2001

Le 11 septembre 2001, deux avions de ligne percutaient les tours jumelles de Manhattan (World Trade Center) *entraînant* l'effondrement des deux tours et la mort de 3 500 personnes. On n'a pas fini encore de mesurer *l'impact* sur le monde entier de cet attentat spectaculaire dont *les retombées* à longue échéance ne peuvent être encore évaluées.

La conséquence la plus humaine a été la grosse émotion immédiate soulevée dans l'opinion publique au cœur de chaque individu : la peur, l'impression que chacun pouvait être vulnérable dans sa propre sécurité et dans la vie de ses plus proches. Le monde entier a pris conscience de la fragilité de la vie alors que la plupart d'entre nous se croyaient à l'abri du danger. La mesure de la violence qui planait sur l'étendue de la planète dans des pays apparemment invulnérables à une telle échelle a *engendré* chez nombre de citoyens des *réactions de terreur et de protection insoupçonnées. Par ricochet* on a conçu des éléments d'attaque biologique qui par bonheur se sont révélés injustifiés.

Une incidence plus politique et militaire a été *la riposte.* Il est apparu comme nécessaire de venger les 3 500 innocents écrasés sous les décombres des tours de Manhattan. *En cascade* une série de dispositions militaires se sont mises en place, dont les plus spectaculaires ont été les bombardements en Afghanistan dans le but d'éradiquer les bases du terrorisme. Cette *réaction* était évidemment prévisible, mais pas dénuée de *retombées.*

Les grandes puissances se sont impliquées à des degrés divers dans cette guerre dont *les premières répercussions* ont déjà mis en évidence l'extrême précarité et la misère des populations civiles : *la plupart ont dû fuir les sites proches des bombardements et se réfugier sous des toiles de tentes incapables de les protéger du froid.* Les médias nous ont montré chaque jour des cohortes de vieillards et d'enfants cheminant dans la neige pour gagner des abris de fortune sous lesquels ils seront à peu près sûrs de mourir de faim et de misère. Puis quelques jours plus tard, les signes de la libération d'un pays qui ne connaissait que les interdictions et les répressions.

Quelles seront *les répercussions* de ces événements sur l'économie mondiale ? On ne peut encore l'évaluer, mais il est évident que *les retombées* de tous ces événements auront une *portée* que l'opinion mondiale ne peut encore que subodorer.

Les nombreux États impliqués dans cet *enchaînement d'événements* se heurtent maintenant à d'énormes difficultés *génératrices de conflits* lourds à régler et de problèmes économiques qui *prennent des proportions encore peu mesurables.*

On ne voit pas encore se lever sur le monde *les signes annonciateurs de temps meilleurs* où la paix et la possibilité pour chaque individu de manger à sa faim seront à la portée de tous. Quelle sera *l'issue* de ces conflits? Elle sera sans doute dans les mains des jeunes générations qui aspirent à d'autres espérances de vie et qui sauront envisager des dénouements que l'état actuel des choses ne permet pas d'espérer actuellement.

Pour communiquer

1 p. 24 / Exercice de créativité

1. Une publicité bien faite incite à acheter ce qu'on n'avait aucune envie d'acheter. — 2. Une campagne électorale haineuse engendre la haine — etc.

Exercices écrits

1 p. 25 / Exercice d'imagination : suggestions de réponses

1. …puisse faire quelque chose pour l'aider. — 2. …mûrisse. — 3. …il était fatigué. — 4. …qu'il s'est effondré. — 5. …a été élu. — 6. …que leur action a débouché sur des sujets concrets. — 7. …ma note a été plus élevée que jamais. — 8. …que je fais attention à tout maintenant. — 9. …personne ne croyait plus ce qu'il disait. — 10. …alors on ne sait plus où aller.

2 p. 26

1. Il a fait faillite… — 2. Il s'est coupé de tout le monde… — 3. J'ai fait trop de dépenses…. — 4. Il a fait des bêtises… — 5. Il refusait d'aborder ce sujet… — 6. Il a fait des efforts… — 7. Je n'étais au courant de rien… — 8. Il a été soutenu par ses amis… — 9. L'assemblée générale a pris de nouvelles dispositions… — 10. Il s'est aperçu qu'on le critiquait dans son dos…

3 p. 26 / a)

1. Les chiens sont trop attachés à leur maître pour qu'on puisse les mettre dans un chenil… — 2. La moyenne de ses notes est trop basse pour qu'on puisse l'autoriser… — 3. …pour que les concerts ne soient pas pour lui une source d'ennui. — 4. …pour qu'on puisse l'entendre. — 5. …pour qu'il puisse neiger cette nuit. — 6. Il est trop gros pour qu'elle puisse le lire facilement. — 7. …trop petite pour que nous puissions tous y loger. — 8. …pour que je puisse lire les sous-titrages. — 9. …pour que les voyages lui fassent plaisir. — 10. …pour que nous puissions être protégés de la pluie.

b)

1. …pour penser aux autres. — 2. …pour s'offrir quelque chose d'agréable. — 3. …pour venir pour Noël. — 4. …pour ne pas vouloir en rajouter. — 5. …pour te lancer dans ce métier. — 6. …pour organiser un match de volley. — 7. …pour neiger. — 8. …pour aller vite. — 9. …pour s'offrir un bon repas. — 10. …pour assurer un travail fatigant.

Pour aller plus loin

1 p. 27

1. Il s'en est fallu d'une toute petite somme pour que je puisse avoir un appartement plus grand. — 2. Il s'en est fallu de peu pour que son fils soit nommé en Allemagne. — 3. Il s'en fallait de quelques minutes pour qu'elle tombe d'inanition. — 4. Il s'en est fallu de très peu pour qu'il devienne alcoolique. — 5. Il s'en fallait d'une semaine pour qu'il ait son sursis. — 6. Il s'en est fallu de rien pour qu'il soit mort. — 7. Il s'en est fallu de rien pour qu'elle ouvre sa porte… — 8. Le gaz étant ouvert, il s'en est fallu de quelques minutes…

2 p. 27

1. avantage — 2. profits — 3. privilèges — 4. plus-value — 5. désavantageuse — 7. déficit — 8. préjudice — 9. désavantagé — 10. intérêt — 11. une perte — 12. détriment — 13. occasion — 14. aubaine.

3 p. 28

1. réussite — 2. triomphe — 3. échecs, victoires — 4. four — 5. victoire — 6. faillite — 7. fruit — 8. défaite — 9. déroute — 10. revers — 11. aboutissement — 12. succès — 13. récompense.

4 p. 29

1. Il suffit qu'ils aillent se promener une heure… pour qu'ils reviennent… — 2. Il suffit qu'on montre de loin… pour qu'il s'arrête tout de suite de pleurer. — 3. Il suffit que j'aille aux Galeries Lafayette pour rencontrer… — 4. Quand il a la migraine, il n'a qu'à prendre… — 5. Il n'y a qu'à mettre une cuillère de café… pour obtenir… — 6. Il suffit que le train ait cinq minutes de retard pour que je rate ma correspondance. — 7. Il suffit d'arroser… pour qu'elles soient magnifiques… — 8. Il suffit qu'il y ait une belle éclaircie pour que nous puissions… — 9. Il suffit qu'une pomme de pin s'enflamme pour que l'incendie ravage… — 10. Il suffit qu'un camarade lui fasse une réflexion pour qu'elle éclate…

Texte p. 30

Les deux personnages : 1. Un homme qui fabrique des sabots (souliers de bois utilisés dans les campagnes autrefois). — 2. Un homme qui s'occupe des finances publiques et qui par ricochet a de l'argent personnel qu'il cherche à bien gérer. — 3. Le savetier n'a pas de souci pour protéger son argent. Il lui suffit d'avoir ce qu'il faut pour manger chaque jour. Donc il chante toute la journée. — 4. Le financier vit dans l'inquiétude tellement il a peur de perdre son argent. Il ne dort pas.
– Quand le savetier accepte l'argent du financier à son tour il ne dort pas et il n'a plus du tout envie de chanter.

L'expression du but, de la finalité

Texte de sensibilisation

TRANSANTARTICA

Médecin spécialiste de nutrition et de biologie du sport, le docteur Jean-Louis Étienne, un explorateur français, avait, depuis de longues années, conçu un grand *projet: celui d'atteindre le pôle nord en solitaire*. Il *réalisa son rêve* et *atteignit son objectif* après soixante-trois jours de marche épuisante; il était soutenu par un *immense désir de vaincre* à tout prix et de *prouver que la capacité de résistance et d'endurance de l'homme était bien supérieure à tout ce que l'on pouvait imaginer*. Le 11 mars 1986 il plantait le drapeau français sur le pôle nord.

Dès son retour, il *élaborait un autre projet,* plus audacieux encore: cette fois-ci *il rêvait de conquérir le pôle sud.*

En 1989, *il décida de lancer* la plus grande expédition jamais réalisée en Antarctique *afin d'attirer l'attention du monde entier* sur l'avenir de ce continent et sur le rôle qu'il pourrait jouer dans l'avenir de notre planète. *Il résolut de partir* avec six compagnons *désireux comme lui de connaître cette immense terre gelée,* grande comme l'Europe et les États-Unis réunis. Tous savaient qu'ils auraient *à vaincre des obstacles géants* par rapport aux capacités de l'homme. *Ils voulaient être les premiers* à accomplir la traversée du plus grand désert blanc du globe. Ils étaient cependant loin d'imaginer que ce rêve mis en route à leur petite échelle allait se transformer en une énorme organisation: il fallut deux ans de préparation intensive *pour mettre sur pied un projet aussi périlleux.*

Leur objectif était de parcourir 6 300 km en 6 ou 7 mois. Ils prévoyaient de transporter leur matériel sur trois traîneaux tirés chacun par douze chiens. *Ils auraient voulu prévoir des possibilités de ravitaillement* en cours de route mais il leur fallut bien vite comprendre qu'après quelques centaines de mètres à l'intérieur des terres, il n'y avait plus de vie et que *leur principale préoccupation serait de pouvoir subsister en autonomie* pendant six mois.

Ils avaient tous les six des *motivations* différentes, mais ils avaient en commun *la fierté de participer* à une grande Première et le *désir de vivre intensément* une aventure exceptionnelle.

Durant ces six mois, la moyenne des températures se situait entre – 20° et – 40°: il neigeait abondamment sur cette immensité sillonnée de crevasses *qu'il fallait éviter à tout prix,* alors que la plupart du temps il était impossible de les deviner tant elles étaient enfouies sous la neige; et surtout *il fallait tenir, tenir bon.* Jean-Louis Étienne, le chef de l'expédition *avait à cœur* de soutenir le moral de chacun de ses coéquipiers. Leurs efforts, sans cesse contrecarrés par des vents violents, *avaient pour exigence* de parcourir à peu près 45 km par jour et de manger juste ce qu'il fallait *pour ne pas épuiser leurs provisions*. Il semblait que les chiens eux-mêmes *aient eu à cœur de tenir bon* comme s'ils avaient compris *la finalité des efforts* de toute l'équipe.

Le 12 mars 1990, *le pari est gagné.* Les 6 000 km sont franchis. Tous sont fiers d'avoir ajouté un maillon de plus *à la chaîne de l'audace et de la conquête d'*un sol jamais foulé. Ils pleurent de joie en rencontrant une équipe soviétique venue à leur rencontre et partagent avec eux leur premier vrai repas depuis six mois. L'expédition est finie. Dans l'avion qui le ramène à Paris, Jean-Louis Étienne *rêve de repartir naviguer* sur les océans polaires, *de suivre* les migrations de baleines et de *faire découvrir à d'autres, ces régions* qui sont pour lui le sommet de la conquête humaine. Il repartira quelques années plus tard, en solitaire total cette fois-ci.

Pour communiquer

p. 37 / a) Suggestions

1. Un Japonais qui vient passer une semaine en France a pour but de connaître les monuments les plus célèbres de Paris, etc. — 2. Un moine a pour aspiration de mener une vie exemplaire et de prier Dieu pour les autres. — 3. Le penchant d'un ivrogne est de rechercher toutes les occasions pour boire de l'alcool. — etc.

b) Suggestions

1. Pour avoir une bonne situation il ne faut pas avoir peur de se fatiguer. — etc.

Exercices écrits

 p. 38

1. …de peur qu'on ne le lui vole. — 2. …de peur de se faire agresser. — 3. …de peur qu'ils ne s'ennuient à la maison. — 4. …de peur de s'ennuyer. — 5. …de peur qu'elle ne se fasse du souci. — 6. …de peur de se faire cambrioler. — 7. …de peur que survienne (que n'arrive) un accident. — 8. …d'être inattentif.

p. 38

1. Je voudrais prendre une assurance qui me permette de toucher … — 2. Elle cherche un appartement de trois pièces qui soit exposé au soleil *ou* Elle cherche un appartement qui soit exposé au soleil et qui ait trois pièces *ou* Elle cherche un appartement qui ait trois pièces exposées au soleil. — 3. Je voudrais faire un voyage enrichissant qui m'apprenne beaucoup… — 4. Il veut une nouvelle situation qui soit bien rémunérée et qui soit dans la région parisienne *ou* Il veut… bien rémunérée qui soit… *ou* Il veut une situation dans la région parisienne qui soit bien rémunérée. — 5. Un publiciste veut trouver un slogan accrocheur qui soit simple et qui revienne facilement à l'esprit… — 6. …une loi de censure qui soit un avertissement pour le gouvernement.

3 p. 39

1. en vue de se présenter — 2. pour — 3. afin de — 4. pour que — 5. afin de ne plus — 6. de peur d'échouer — 7. afin qu'ils ne se perdent pas — 8. en vue des — 9. afin qu'on — 10. afin de ne pas avoir — 11. afin de sorte que.

4 p. 39

1. Je me dépêche afin de porter mon courrier à la poste avant la levée. — 2. …avec l'intention de partager avec eux ce qu'ils vivent. — 3. …visant une aide aux demandeurs d'emploi *ou* avec l'espoir d'apporter une aide, etc. — 4. …dont le but est d'informer les locataires *ou* se proposant d'informer… *ou* dans le dessein d'informer… — 5. …un projet en vue de la construction d'un stade par la municipalité. — 6. …visant ainsi la clientèle de passage. — 7. …avec l'idée de proposer des mesures… — 8. …afin de le valoriser au maximum *ou* …avec l'espoir (l'idée) de le valoriser au maximum…

5 p. 39

1. but *ou* dessein — 2. objectif *ou* résolution — 3. but — 4. raisons — 5. mission — 6. objectif *ou* but — 7. résolution — 8. opiniâtreté — 9. intention — 10. fin — 11. intention — 12. objectifs — 13. détermination.

Pour aller plus loin

1 p. 40

1. but — 2. but — 3. but — 4. cause — 5. cause — 6. cause — 7. but — 8. cause — 9. but — 10. cause.

2 p. 40

1. dans l'espoir de *ou* dans le souci de — 2. dans l'espoir de — 3. dans l'idée de — 4. histoire de — 5. dans l'intention de — 6. histoire de — 7. question d' — 8. dans l'intention de.

3 p. 41

Un arriviste = personne sans scrupule dont l'unique but est de réussir par n'importe quel moyen.

Ex. (suggestion) : C'est un tel arriviste qu'il n'hésitera pas à casser tous ceux qui se mettront en travers de sa carrière.

Un démagogue = personne qui flatte les masses dans le but d'obtenir leurs faveurs et leurs voix aux élections.

Il fait des discours pleins de promesses et de projets extraordinaires en faveur de toutes les classes de la société. C'est un démagogue !

Un jeune loup = un homme d'affaire jeune et surtout ambitieux.

C'est un jeune loup, qui veut arriver à tout prix. Il aura sûrement une belle carrière mais il ne reculera devant rien.

Un fonceur = quelqu'un de dynamique et d'audacieux.

Quand il s'est fixé un but, rien ne le fait reculer.

Un utopiste = celui qui se fixe un but irréalisable.

Il veut toujours atteindre des chimères ; il rêve et croit pouvoir résoudre tous les problèmes du monde.

Un rêveur = celui qui se propose des buts vagues, sans aucune solution pour les atteindre.

C'est un rêveur ; il est complètement en dehors de la réalité.

Un idéaliste = celui qui se fixe des buts en dehors du réel.

Il croit toujours qu'il va pouvoir résoudre tous les problèmes avec ses belles idées.

Un prétentieux = celui qui se propose des buts qu'il est incapable d'atteindre.

Il imagine avoir les moyens financiers de faire construire un château avec un luxe inouï.

Un vantard : celui qui exagère ses mérites en parlant très favorablement de lui.

Quel vantard ! Il n'arrête pas de dire à tout le monde qu'il a des ancêtres illustres mais c'est complètement faux.

Un homme opiniâtre : celui qui se fixe des buts et qui les poursuit quelles que soient les difficultés.

Il a voulu faire construire sa maison. Il a eu toutes sortes d'empêchements et d'ennuis mais il n'a jamais désespéré et il a su se battre.

Texte p. 42

Cinq projets :

1. Laisser à la France des traces de son double septennat.

2. Réaliser les projets de ses prédécesseurs.

3. Le Grand Louvre.

4. Le ministère des Finances de Bercy

5. La Grande Bibliothèque nationale.

L'expression de l'ordre, de la volonté, du commandement

Texte de sensibilisation

COLLÈGE NICOLAS BOILEAU

Vous venez d'entrer au collège Nicolas Boileau. Nous vous souhaitons la bienvenue. Toutefois dans l'intérêt de tous et afin d'éviter certains malentendus, nous vous communiquons le règlement du collège.

1 – Les élèves *doivent se présenter* au collège d'une manière décente.
Pour les garçons, les boucles d'oreilles et les cheveux longs non-attachés *ne sont pas acceptés.*
Pour les filles, un maquillage léger *n'est admis qu'en* classe de troisième.

2 – Toute absence *nécessite d'être motivée* le jour même. Pour un seul jour d'absence, un mot des parents *peut suffire* ; au-delà de deux jours un certificat médical *sera exigé.*

3 – Les retards *ne sont pas admis.* Un élève qui arrive alors que les autres élèves sont déjà en classe *aura l'obligation d'aller* en permanence.

4 – *Il est interdit de* fumer dans l'enceinte de l'établissement. *Il n'est pas permis de* manger et boire dans les salles de classe. Une cafétéria est prévue à cet effet.

5 – *On conseille* aux élèves de ne pas avoir sur eux une somme d'argent supérieure à huit euros.

6 – Les vêtements de sports *devront être marqués* au nom de l'élève ; *il est réglementaire* de les laisser dans les casiers prévus à cet effet.

7 – Pour le bien-être de tous, *on vous demande de* ne rien jeter à terre dans la cour de récréation.

8 – Le collège se *verra dans l'obligation d'exiger* un remboursement total et immédiat pour toute détérioration de matériel.

9 – Les livres que vous utilisez appartiennent au collège. Nous *vous recommandons vivement* de les couvrir, de ne rien écrire dessus et de les manipuler avec soin.

10 – Afin que l'enseignement soit assuré dans les meilleures conditions, *il est indispensable que* chacun respecte celui qui est en face de lui, qu'il soit enseignant, membre du personnel administratif ou élève.

1. Les ordres donnés relèvent de la discipline intérieure du collège.
2. Ils s'adressent d'abord aux élèves puis au personnel de l'établissement.
3. Les différentes manières sont écrites en italiques.
4. On conseille. Nous vous recommandons.

Pour communiquer

 p. 49

1. A demain 18 heures. — 2. Va chercher le pain. — 3. Est-ce que vous pourriez vous occuper de ce dossier? — 4. J'ai perdu mon bracelet sur la plage dans le sable. Aide-moi à le rechercher. — 5. Aide mon fils à se sortir d'affaire car il est pris dans une affaire de trafic de drogue. — 6. Peux-tu m'aider dans cette entreprise difficile? — 7. On pourrait repeindre la cuisine? — 8. Fais ce travail. — 9. Exécute-toi. Je te le commande.

p. 49

1. Un adjudant à un soldat. — 2. Un instituteur à ses élèves. — 3. Un père à son fils. — 4. Un professeur à un élève toujours en retard. — 5. Un mari à sa femme. — 6. Une entreprise de vente par correspondance. — 7. Une mère à sa fille qui fait trop de bruit. — 8. La caissière d'un magasin à une cliente. — 9. Un gardien à la porte d'un lieu public. — 10. Un agent de la circulation à des piétons agglutinés.

Exercices écrits

p. 49

1. Je souhaite que tu viennes me voir. — 2. Je te demanderais d'aller porter une lettre à la poste pour moi. — 3. Assieds-toi un moment. — 4. Est-ce que je peux vous proposer un verre d'apéritif? — 5. Je voudrais une baguette, s'il vous plaît. — 6. Qu'il vienne vers 20 heures. — 7. Pardon monsieur, pourriez-vous me dire où se trouve la rue des Mimosas s'il vous plaît? — 8. Et maintenant, taisez-vous!

p. 49 / Exercice d'imagination : suggestions

1. …se présenter comme candidat aux prochaines élections présidentielles. — 2. …partir à l'île de Ré pour les vacances. — 3. …à construire une maison. — 4. …d'entrer dans son ordinateur le nom de chaque utilisateur. — 5. …de passer un concours administratif. — 6. …lutter contre l'insécurité. — 7. …à quitter ses parents. — 8. …pour que vous veniez dîner chez nous. — 9. …à nier ce qu'on lui reproche. — 10. …de tout reprendre à zéro.

p. 50 / Exercice d'imagination : suggestions

1. Donner de bon cœur. — 2. Manger volontiers. — 3. Faire quelque chose contre son gré. — 4. Ne pas agir de gaîté de cœur (= avec réticence). — 5. Il a voulu atteindre ses

fins envers et contre tous. — 6. Elle a élevé ses enfants toute seule contre vents et marées (= malgré d'énormes difficultés). — 7. Réussir coûte que coûte. — 8. Agir sans plaisir. — 9. Elle voulait réussir à tout prix. — 10. Vous pouvez vous habiller à votre guise.

4 p. 50.

1. aille — 2. soient disciplinés — 3. de payer — 4. soient — 5. viennes — 6. viennent, ferait — 7. soient rangés — 8. devais, devais — 9. vienne — 10. obtempérions, donnions.

Pour aller plus loin

1 p. 50.

1. Je dois voir un médecin… — 2. Il est très agréable d'aller… — 3. Il est normal… (il est poli…) — 4. Il est indispensable… — 5. Il est recommandé… — 6. Pour un point, il est admissible… — 7. Est-il nécessaire…? — 8. Il est indispensable, il est vital… — 9. Je te rappelle… — 10. Il est bon pour la santé de…

2 p. 51.

1. accepter — 2. fermer les yeux — 3. obtempérer — 4. mettre en demeure — 5. céder — 6. refuser — 7. plier — 8. obéir — 9. refuser — 10. transgresser— 11. respecter un règlement.

L'expression de la condition et de l'hypothèse

Texte de sensibilisation

QUI LAURENCE VA-T-ELLE ÉPOUSER?

C'est la grande question que se pose toute la famille, ses sœurs en particulier. On se perd en *conjectures* et en *hypothèses*. Elle fréquente plusieurs garçons ce qui ne facilite pas les *pronostics. Tantôt* on pense que ce sera ce jeune professeur qui partage avec elle sa passion pour la musique, *tantôt* on croit que ce pourrait être cet élève de l'École centrale qui vient souvent à la maison, *à moins que ce ne soit* tout simplement son ami d'enfance qui depuis longtemps *l'aurait déjà épousée. si elle en avait manifesté la moindre intention – En supposant que ce soit lui,* il faudrait qu'il fasse beaucoup d'efforts et de concessions pour supporter son caractère et ses désirs de luxe et d'indépendance!

– Oh oui, c'est certain, car *si elle épousait* un homme pointilleux et trop près de ses sous, *il y aurait de fortes chances* pour que cela ne dure pas très longtemps, *à moins que* l'amour ne fasse des miracles, *ce qui est une éventualité* que l'on peut tout de même envisager… *sous réserve toutefois qu'elle soit vraiment amoureuse!*

– En tous les cas, ce qui est certain, c'est qu'elle cache bien son jeu…! Si elle savait que dans son dos nous échafaudions tant de suppositions, elle serait furieuse et s'enfermerait encore plus dans ses mystères.

– Eh bien moi, j'ai une autre idée et je ne me perds pas dans tant de *suppositions* sur les garçons qui viennent à la maison. Je parie qu'elle va épouser quelqu'un que nous n'avons encore jamais vu, e*t si nous ne l'avons jamais vu, c'est qu'il y a de bonnes raisons* à cela. Évidemment c'est *une pure hypothèse*, mais *une hypothèse plus fondée qu'*elle n'en a l'air. J'ai cru comprendre que… nos interrogations ne partaient pas dans la bonne direction…

– Qui? Qui donc? Où le voit-elle? Que fait-il dans la vie? Réponds-nous. *Si tu es si sûre de toi,* c'est que tu es *au courant de quelque chose, sinon tu n'y aurais même pas pensé. Tu soulèves une possibilité* qui ne nous avait même pas effleuré l'esprit.

– Non, je ne dirai rien. Je n'ai pas l'habitude de répéter les secrets qu'il me semble découvrir, *serait-ce même* dans une bonne intention. *Si vous voulez en savoir davantage,* demandez-le à Laurence elle-même, en lui posant des questions déguisées. *Si elle veut vous répondre,* elle saisira l'occasion, *sinon* elle vous fera encore languir un *certain temps.*

– *Et si on lui posait carrément la question? Avec un peu de chance et de compréhension,* elle nous répondrait sans doute, *ce qui serait une bonne chose.* En effet, *en supposant qu'*elle hésite à prendre une décision définitive toute seule, nous pourrions l'aider: *à supposer évidemment* qu'elle ait confiance en notre expérience et qu'elle comprenne que c'est par pure affection pour elle.

– *J'émets deux hypothèses* sur les raisons de son silence : *soit* elle pense que le garçon ne nous plaira pas pour une raison quelconque ; *soit* elle se rend compte qu'elle n'est pas assez amoureuse pour envisager les choses sérieusement

– Alors il faut laisser faire le temps. *Ou* tout se clarifiera pour elle : donc ce sera une bonne chose ; *ou au contraire* elle comprendra qu'elle ne veut pas passer sa vie avec ce garçon, alors tout cassera et elle n'aura pas à se justifier auprès de nous.

– Alors ne lui parlons de rien pour l'instant *sinon* nous risquerions de l'influencer dans un sens ou dans un autre et *ce serait* trop grave. Il y a des domaines où seuls les intéressés peuvent prendre leurs propres décisions. Laissons mûrir tout cela et attendons sans impatience ni curiosité qu'elle nous en parle elle-même en temps voulu.

1. Laurence est une jeune fille en âge de se marier, bien mystérieuse sur ses amours.
2. Ce sont ses sœurs qui, entre elles, parlent d'elle en son absence.
3. Trouver de qui Laurence est amoureuse.
4. Elle ne parle de personne car elle n'est pas sûre de son choix.
5. Au moins quatre prétendants

Les expressions de l'hypothèse ou de la condition sont en italiques.

Pour communiquer

 p. 58 / Exercice d'imagination

 **p. 58**

1. Si les Japonais n'avaient pas été performants en informatique, les pays européens n'auraient pas passé des contrats avec eux. — 2. Si mes cousins n'avaient pas été accueillants, je ne me serais pas senti à mon aise chez eux. — 3. Si ma femme n'avait pas eu des goûts de luxe, je n'aurais pas eu besoin de tant travailler. — 4. Si les Français n'avaient pas été fiers de leur cuisine, les restaurants parisiens aux États-Unis n'auraient pas fait fortune. — 5. Si des Parisiens courageux n'avaient pas caché pendant la Révolution des documents importants, la Bibliothèque nationale n'aurait pas la richesse d'archives qu'elle possède maintenant.

Exercices écrits

 p. 59

1. à condition de — 2. à condition que — 3. pourvu qu'ils — 4. si — 5. au cas où — 6. pourvu que — 7. à condition que — 8. au cas où — 9. dans le cas où — 10. pourvu que.

2 p. 59

1. si — 2. pour peu que — 3. avec — 4. à condition que ; *ou* pour peu que — 5. à moins d'… — 6. à condition que — 7. à condition que ; à moins que — 8. à condition d'… — 9. selon — 10. à condition d'…

3 p. 59

1. En écrivant avec un bon stylo à plume… — 2. En prenant des photos à contre-jour… — 3. En se couchant de bonne heure… — 4. En faisant du bruit… — 5. En prenant tous les matins…

4 p. 60 / La deuxième partie de la phrase est une suggestion

1. Qu'il me contrarie dans mes projets et il verra si je me laisse faire ! — 2. Qu'il s'avise de me critiquer et je lui montrerai que je sais lui répondre ! — 3. Qu'il casse toute la vaisselle et je lui casserai tout le reste sur le dos ! — 4. Qu'il mette un pied chez moi et il comprendra vite où est la sortie ! — 5. Qu'il ose répéter ce que je lui ai dit en confidence et il verra ce que je sais dire moi aussi ! — 6. Qu'il ait l'audace de se présenter devant moi… et il verra comment je vais le recevoir ! — 7. Qu'il tente de me nuire, et il verra ce que je sais faire moi aussi !

5 p. 60

1. À l'écouter… — 2. De ne pas connaître l'anglais… — 3. À condition d'être debout de bon matin… — 4. À moins d'être obligé… — 5. Sans un minimum d'argent… — 6. De ne pas prendre… me donne mal à la tête… — 7. À lire ses lettres… — 8. À moins d'avoir la preuve du contraire… — 9. Sans efforts… — 10. De rester une journée sans lire serait pour moi…

6 p. 60

1. conditions — 2. clauses — 3. prévisions — 4. propositions — 5. pronostics — 6. conjectures — 7. conditions, ultimatum — 8. hypothèse.

Pour aller plus loin

1 p. 61

1. Hypothèse. *Au cas où…* — 2. Condition. *À condition que…* — 3. Hypothèse. *Dans l'hypothèse où je mettrai…* — 4. Hypothèse. *Au cas où…* — 5. Condition. *Au cas où…* — 6. Hypothèse. *Dans l'hypothèse où…* — 7. Condition. *À condition que…* — 8. Condition. *À condition qu'on…* — 9. Hypothèse. *Dans l'hypothèse où…* — 10. Hypothèse. *En invitant…*

2 p. 61

1. Pour peu qu'il se lève cinq minutes trop tard… — 2. Pour peu qu'il fasse un petit travail… — 3. Pour peu qu'elle soit intimidée… — 4. Pour peu qu'il ait quatre sous… — 5. Pour peu qu'il pleuve… — 6. Pour peu que j'aie… — 7. Pour peu qu'il gèle… — 8. Pour peu qu'il y ait un rayon de soleil… — 9. Pour peu qu'elle boive la moitié… — 10. Pour peu que quelques personnes fument…

3 p. 62

1. …si tant est qu'il soit capable… — 2. …si tant est que son compte ne soit pas… — 3. …si tant est qu'elle en ait le temps… — 4. …si tant est qu'il y en ait encore de complètement inédits… — 5. …si tant est que le temps revienne au beau… — 6. …si tant est qu'il veuille… — 7. …si tant est qu'il soit en veine de confidences… — 8. …si tant est qu'il y ait un médicament…

4 p. 62

1. Si vous voulez… et que vous ayez… — 2. Si nous avons du soleil et que nous puissions… — 3. Si tu achètes… et que tu ne puisses pas… 4. Si tu vas… reçoive… — 5. Si tu as… et que tu veuilles… — 6. Si tu n'as jamais rien lu… et que tu veuilles… — 7. Si nous allons lundi… et que nous ayons… — 8. Si je veux… et que je ne puisse classer…

5 p. 63 / Suggestions car la moitié de la phrase est un exercice d'imagination

1. Si tu as faim et que tu veuilles aller dans un bon petit restaurant, j'en connais un qui te plaira. — 2. Si ton ami aime les fleurs et qu'il désire aller voir les parterres du Luxembourg, c'est le moment de l'y emmener car tout est fleuri maintenant. — 3. Si mes cousins veulent connaître ma maison de campagne et qu'ils aient envie de passer trois jours dans la verdure, je les invite volontiers. — 4. Si Antoine désire à apprendre à nager mais qu'il ne sache pas vaincre sa peur, il n'y arrivera jamais. — 5. Si vous voulez me faire un cadeau et que vous souhaitiez m'offrir quelque chose qui me fasse plaisir, je vous mettrais sans peine sur la bonne voie. — 6. Si nos amis veulent faire un bon réveillon et qu'ils veuillent acheter du foie gras, je connais l'adresse d'un magasin où ils ne seront pas déçus. — 7. Si vous voulez faire un beau voyage et que vous alliez à New York, vous serez émerveillés par cette ville aux gratte-ciel immenses. — 8. Si tu veux aller à l'Opéra et que tu aies quelques économies, je peux me charger de prendre un abonnement.

Texte p. 64

1. Les conditions de bon fonctionnement d'une classe de langue :

1er paragraphe – Il faut que les élèves ne soient pas fermés. Les élèves doivent être à l'aise. L'enseignant doit de passionner : s'il s'ennuie, la classe s'ennuie. Les acquisitions à transmettre doivent être bien ciblées. L'enseignant doit apporter chaque jour quelque chose de neuf. Pour cela il doit être en bonne forme physique après une préparation intérieure.

2e paragraphe – Une atmosphère joyeuse et chaleureuse, communicative est indispensable.

Repérer quelques élèves qui puissent avoir une fonction « d'animateurs » de la classe.

Il faut que chacun puisse s'exprimer. Les différents moments de la classe de langue doivent être bien respectés.

Enseignant comme apprenants, chacun doit s'investir au maximum.

Respect mutuel indispensable.

L'expression de la comparaison

Texte de sensibilisation

LA PHOTO DE CLASSE

Une photo jaunie sur ma table : la photo de ma classe de Terminale, un peu figée *comme toutes les photos de classe* ; pourtant un palmier, un parterre de géraniums et de grandes taches de soleil attestent que ce lycée n'est pas austère. C'est un lycée dans le sud de la France dans lequel les rapports entre les élèves et les maîtres sont faciles et souvent amicaux. Vingt-cinq jeunes filles à quelques jours du baccalauréat sont groupées autour de leur professeur de philosophie.

Mon regard le plus attendri va vers ma meilleure amie, celle *dont le destin a été semblable au mien* pendant de longues années. *Toutes les deux nous avions une année d'avance* sur les autres ; donc, nous étions les *plus jeunes* et les *moins mûres* de la classe. Alors que les autres étaient *beaucoup plus sérieuses* et *beaucoup plus graves,* nous, nous prenions bien souvent des fous rires inextinguibles pour la *moindre* petite chose. *Comme elle*, je n'aimais pas les matières scientifiques ; dans ces disciplines nous peinions *autant l'une que l'autre* ; mais, *comme moi*, elle était passionnée de philosophie et nous excellions à manier les idées avec lesquelles nous pensions véritablement pouvoir changer la face du monde. *L'une et l'autre, nous aimions Bergson* avec enthousiasme ; nous aimions en apprendre des passages par cœur et nous les redire à haute voix, de mémoire. *Quand l'une avait fini* de dire un paragraphe, *l'autre prenait* tout naturellement le début du paragraphe suivant et nous allions ainsi jusqu'au moment où nous éclations de rire toutes les deux. *C'était à celle qui en saurait le plus ! Notre goût* de la philosophie était commun ; nous étions *d'autant plus proches que* sa situation familiale *était comparable à la mienne* ; son père était gravement malade *comme l'était le mien*, sa mère travaillait ; elle avait deux frères *du même âge que* les miens, *aussi taquins et moqueurs que l'étaient les miens* ; nous parlions souvent à voix basse de nos inquiétudes et de nos anecdotes familiales. Elle aimait lire *les mêmes livres que* ceux que je lisais. *L'une et l'autre* nous les dévorions, puis nous nous les passions, heureuses de pouvoir discuter ensuite *des mêmes problèmes ou des mêmes personnages*. Sa gourmandise était *comparable à la mienne* : nous aimions, *autant l'une que l'autre*, sortir à la récréation pour aller acheter un croissant ou un chausson aux pommes *qui valaient pour nous tous les gâteaux de la terre réunis*.

Je regarde les autres compagnes : Mireille, *plus grande que les autres qu'elle dominait* largement d'une tête. Elle était extrêmement méthodique et consciencieuse. Ses cahiers de cours étaient *des modèles de* clarté et de précision. *Contrairement aux autres*, elle osait interrompre les cours pour exprimer une réticence ou un doute. Sa culture philosophique était *largement plus étendue que* celle de la plupart d'entre nous. Hélléniste, car ses parents étaient professeurs de grec, elle avait lu Platon, Aristote et les philosophes antiques. Elle était absolument *imbattable* sur tous ces auteurs dont elle admirait éperdument la pensée *comme s'ils avaient été les seuls penseurs de la terre. À côté d'elle, Claude, une petite brune, têtue et opiniâtre. À l'encontre des autres,* elle ne jurait que par Descartes et le philosophe Alain. Quand elle intervenait pendant la classe, son jugement était toujours clair et précis. Elle savait exprimer des idées *que je n'aurais même jamais su concevoir.* Elle demandait toujours davantage d'explications. Je l'admirais silencieusement, et comme elle était *la meilleure de* la classe, personne n'hésitait à aller lui demander un coup de main ou des explications sur des points plus ou moins compris.

On ne peut s'attarder sur chaque visage; depuis cette époque, plusieurs camarades n'ont jamais donné signe de vie; j'ai cependant gardé le contact avec bon nombre d'entre elles. *Combien les destins de chacune ont été différents! Combien les chemins suivis ont été divergents! Combien chacune a eu un parcours autre que celui de ses condisciples!* Et pourtant nous étions les *mêmes* filles *au même âge*, toutes *aussi confiantes dans l'avenir les unes que les autres!*

1. Il s'agit de la description d'une vieille photo de classe de terminale, retrouvée et observée.
2. La personne qui parle est la personne qui a retrouvé la photo.
3. Elle n'est pas en classe de terminale. Elle a fini ses études. La photo est celle de sa classe de terminale.
4. Les comparaisons portent sur ses anciennes condisciples dont elle retrace un peu le destin.

Pour communiquer

1 p. 72 / Exercice d'imagination

2 p. 72

1. Il craint sa belle-mère comme le feu. — 2. Il écrit comme un chat. — 3. …ils sont comme chien et chat. — 4. …comme un gant. — 5. …il fume comme un pompier. — 6. Ils s'entendent comme des larrons en foire. — 7. Elle est aimable comme une porte de prison. — 8. J'ai été malade comme un chien. — 9. …chargé comme un baudet. — 10. …je le crains comme la peste.

Exercices écrits

1 p. 73

1. autant qu'il a pu — 2. …comme si elle avait perdu père et mère. — 3. …au même titre que ses collègues… — 4. davantage — 5. …de la même manière que… — 6. mieux que — 7. Autant…, autant… — 8. moins bien que…

2 p. 73

1. un peu moins — 2. de moins en moins — 3. de mieux en mieux — 4. chaque fois plus — 5. un peu moins — 6. toujours plus — 7. moins — 8. de mal en pis — 9. de plus en plus — 10. de moins en moins.

3 p. 73

1. …comme si cela l'avait apaisé… — 2. …comme si elle n'avait pas été aérée… — 3. …comme s'il avait voulu (s'il voulait) me mordre. 4. …comme s'il avait voulu (s'il voulait) ma mort. — 5. …comme s'il voulait terroriser… — 6. …comme si tu n'avais jamais fait d'études. — 7. …comme si c'était un voleur… — 8. …comme si le fiction était devenue réalité.

4 p. 74

1. subalterne — 2. amaigrie — 3. larvée — 4. allégés — 5. réduit — 6. limité — 7. abrégée *ou* incomplète — 8. diminuée — 9. rapetissé — 10. réduites — 11. mitigé — 12. diminuée.

Pour aller plus loin

1 p. 74

1. C'est la même chose. — 2. Il lui ressemble trait pour trait. — 3. Sont exactement les mêmes et symétriques. — 4. Du même genre. — 5. Sont exactement pareils. — 6. Très unis. — 7. Tout en rapport, en accord, en conformité. — 8. Comme. — 9. Les deux exactement pareilles qui vont toujours ensemble. — 10. Peinture créant l'illusion de la réalité par un jeu de perspectives. — 11. Les moutons de Panurge (personnage du *Pantagruel* de Rabelais) se sont tous jetés à l'eau car le premier l'avait fait.

2 p. 74

1. Un usage abusif, une mère abusive. — 2. Une vitesse excessive. — 3. Un privilège exclusif. — 4. Un salaire démesuré. — 5. Une réaction disproportionnée. — 6. Un appétit effréné. — 7. Des prix exorbitants. — 8. Des paroles intolérables. — 9. Un orgueil monstrueux. — 10. Une source surabondante.

3 p. 75

1. *Un âne* = un ignorant. — 2. *Une mante religieuse* = une femme cruelle qui « dévore » ceux qu'elle approche. — 3. *Un mufle* = qqn qui n'a aucune éducation, qqn qui est grossier. — 4. *Un singe* = qqn qui ne sait qu'imiter les autres. — 5. *Un rapace* = qqn qui ne pense qu'à ramasser de l'argent. — 6. *Une peau de vache* = qqn de méchant. — 7. *Un chameau* = une personne méchante. — 8. *Un requin* = qqn d'impitoyable en affaire qui ne pense qu'à prendre de l'argent aux autres. — 9. *Une poule mouillée* = qqn de douillet, sans courage. — 10. *Un renard* = qnn de rusé, de malin. — 11. *Le mouton à cinq pattes*

= un animal qui n'existe pas, ou mythique. — 12. *Un ours mal léché* = qqn qui n'a aucune éducation, qui est grossier. — 13. *Une tête de linotte* = qqn qui oublie tout comme un petit oiseau. — 14. *Un toutou fidèle* = qqn qui est bon et fidèle en toutes les circonstances comme un bon chien (toutou). — 15. *Un bon Saint-Bernard* = qqn qui rend service à tout le monde comme les gros chiens Saint-Bernard qui vont chercher les voyageurs perdus dans la montagne.

4 p. 75 / Fables de la Fontaine

1. Qqn qui fait travailler tout le monde (*Le Coche et la mouche*, Livre VII, Fable 9). — 2. Qqn qui a des ambitions plus grandes que ses possibilités, qui est gonflé d'orgueil et de vantardise (*La grenouille qui veut se faire aussi grosse que le bœuf*, Livre I, Fable 3). — 3. Une personne qui est une source inespérée de richesses (*La poule aux œufs d'or*, Livre V, Fable 13). — 4. La cigale: une femme qui est artiste, qui chante et danse sans se soucier de l'avenir; une fourmi = une femme très prévoyante, très peu fantaisiste, qui amasse laborieusement pour les mauvais jours (*La cigale et la fourmi*, Livre I, fable 1). — 5. La morale de cette fable: celui qui est le plus fort a toujours raison (*Le Loup et l'Agneau*, Livre I, Fable 10). — 6. Perrette échafaude des rêves et des projets jusqu'au moment où un incident inattendu la ramène à la réalité où il n'y a plus rien (*La Laitière et le Pot au lait*, Livre VII, Fable 10). — 7. Le lièvre va toujours très vite mais peut rater ainsi ses objectifs. La tortue est lente mais atteint ses objectifs (*Le Lièvre et la Tortue*, Livre VI, Fable 10). — 8. Le médecin Tant-Pis est toujours pessimiste. Le médecin Tant-Mieux est toujours optimiste (*Les Médecins*, Livre V, Fable 12). — 9. Le combat est inégal. Le pot de terre se casse toujours contre le pot de fer; l'inverse n'est pas possible (*Le Pot de terre et le Pot de fer*, Livre V, Fable 2). — 10. L'œil du maître voit tout ce qui ne va pas car il est responsable (*L'œil du Maître*, Livre IV, Fable 21). — 11. Le chêne est un arbre énorme mais il se casse dans la tempête. Le roseau est fragile mais dans la tempête il plie seulement sans se casser (*Le Chêne et le Roseau*, Livre I, Fable 22). — 12. Opposition entre le citadin et le campagnard (*Le Rat de ville et le Rat des champs*, Livre I, Fable 9).

Texte p. 76

Le sujet du poème: l'harmonie entre les différentes sensations: sons parfums, musique etc.
Un soir d'été avec un long coucher de soleil.
C'est celui qui est exprimé au dernier vers: la souffrance d'une absence.

1. Ainsi que. comme.

2. Chaque fleur s'évapore… le violon frémit… le ciel est triste est beau… s'est noyé dans son sang qui se fige…

3. Vibrant… les parfums tournent dans l'air du soir… valse… vertige… Le violon frémit comme un cœur… le ciel est triste est beau… le soleil s'est noyé… passé lumineux, etc.

4. Oui. S'évapore… vertige… Valse mélancolique… langoureux vertige… un cœur qu'on afflige… le néant vaste et noir… le ciel est triste… le soleil s'est noyé dans son sang… etc.

5. Le néant vaste et noir… le soleil s'est noyé… le sang qui se fige… etc.

6. Superbes et inhabituelles

7. Un encensoir; un reposoir; un ostensoir.

L'expression de la concession, de l'opposition et de la restriction

----

Texte de sensibilisation

THEYS

Bien que son nom *soit* inconnu de la plupart des Français, il est un village dans les Alpes dauphinoises dont le nom fait éclore en mon âme des images de douceur et de beauté : Theys. *Malgré* les recherches qui ont été faites depuis longtemps, personne ne peut affirmer l'étymologie certaine de ce nom. Plusieurs hypothèses ont été avancées. Pour moi, il me plaît d'évoquer la racine grecque *theos* et par conséquent de le nommer à titre personnel « le village des dieux », *quoi que puissent en penser* des puristes plus avertis.

C'est un village de montagne, simple et vrai. *Bien qu'il soit* situé au pied des pistes de ski, les touristes ne le fréquentent guère. *Alors que* depuis bien longtemps, plus personne ne vient chercher de l'eau à la fontaine, celle-ci, toute fleurie de géraniums, reste *quand même* au centre de la place du village ; le bruit joyeux de l'eau qui retombe en cascade est souvent couvert par les rires des enfants qui viennent tremper une main dans la vasque ou lancer un petit bateau. En faisant leurs courses, quelques femmes bavardent. Ce moment *si court soit-il,* donne vie à la petite place.

Trois fois par jour, le clocher de l'église égrène encore les rythmes de l'Angelus *sans que personne n'ait* encore trouvé à se plaindre de réveils en carillon. Quelques glas isolés viennent régulièrement troubler le silence habituel des jours de semaine, *ne serait-ce que* pour rappeler à la population que l'on vit et que l'on meure encore dans ce village souvent si calme.

Les saisons *ont beau se dérouler,* la vie moderne *a beau s'intensifier* tout autour, le mouvement du village reste identique à ce qu'il était il y a quelques années. À la boulangerie, on s'arrête toujours *ne serait-ce que* pour sentir l'odeur des gros pains « bûcherons » à peine sortis du four. Le boulanger, *si fatigué soit-il* et *quelle que soit* l'heure de la fin de sa fournée, se tient toujours sur le pas de sa porte, pour échanger quelques propos avec les clients que sa femme sert dans le magasin.

Si la boulangerie reste un lieu hautement convivial, comme autrefois, *en revanche* l'épicerie en prenant une allure plus moderne est devenue plus anonyme. *À la place de* l'épicière ronde et souriante, se trouvent maintenant des piles de panier en plastique rouge que chaque client saisit au passage pour se refermer ensuite pendant tout le temps de ses achats dans son monde intérieur de besoins, de manques, et d'acquisitions rapides. *Au lieu d'*acheter comme il y a quelques années une belle laitue toute fraîche provenant du jardin voisin, il se contentera d'une salade calibrée roulée dans une feuille de plastique.

Si espacés que puissent être mes séjours dans ce village, je sais que ma maison lointaine plantée sur ses contreforts, vit pleinement, *même* en mon absence. Je sais que chaque printemps la comble de fleurs nouvelles, de chants d'oiseaux et de parfums encore inconnus. Le rosier qui grimpe le long de la façade grandit d'année en année et fleurit toujours lors de ma venue en été, *ne serait-ce que* pour me souhaiter la bienvenue après une longue route.

Pendant les nuits d'été, lorsque le ciel scintille de toutes ses constellations, lorsque l'ombre de la montagne se profile sur la blanche lumière de la lune et que seuls le cri de la chouette et la chanson des grillons troublent le silence des nuits étoilées, je pense que, *quoi qu'il arrive*, cette maison restera pour moi un havre de paix, de repos et de verdure. *Devrais-je* un jour m'en séparer, sa présence et sa vie resteraient gravées en moi et dans le cœur de mes amis les plus chers devenus chaque année les hôtes attendus groupés joyeusement à la veillée autour d'un bon feu dans la cheminée.

1. Il s'agit de l'évocation d'un village
2. La personne qui parle a une maison de campagne, (une résidence secondaire) dans ce village.
3. Dans les Alpes dauphinoises.

Pour communiquer

1 p. 82 / Exercice d'imagination : suggestions

1. …à moins qu'il ne pleuve. — 2. …s'il fait une campagne électorale convaincante. — 3. …sauf si une nouvelle fiscalité est établie. — 4. …sous réserve qu'on trouve rapidement les moyens de la combattre. — 5. …excepté pendant les dix premières minutes où l'orchestre a eu du mal à démarrer. — 6. …sauf en mathématiques. — 7. …mais pas la cuisine ordinaire de tous les jours. — 8. …à moins que la décrue ne s'amorce plus rapidement que prévue.

2 p. 82

1. Il arrive toujours en avance et pourtant il ne se presse jamais. — 2. Elle va au concert bien qu'elle ne soit pas mélomane. — 3. Il fait très froid malgré un beau soleil. — 4. C'est l'été et pourtant il pleut. — 5. Il est allé deux fois au cinéma cette semaine et pourtant il n'aime pas veiller. — 6. Bien qu'il n'aime pas ce genre de travaux, il a cependant repeint son appartement. — 7. Il n'aime pas prendre de médicaments ; malgré cela il avale tous les matins un comprimé d'aspirine.

3 p. 83

1. Alors qu'il pleut souvent en Bretagne, il y a beaucoup de soleil… — 2. Les uns travaillent pour pouvoir manger. Inversement les autres pour pouvoir s'offrir… — 3. …alors que l'un est casanier, l'autre ne pense qu'à voyager. — 4. …dans les Alpes poussent des sapins ; à l'inverse…

Exercices écrits

 p. 83

1. …alors qu'il a très peu de temps libre. — 2. Bien que je lui aie apporté… — 3. On a beau avoir vingt ans… — 4. …et pourtant elle fait des conférences. — 5. Alors qu'il a de petites ressources… — 6. …bien qu'il ait été souvent malade. — 7. …bien que cela soit contre mes principes. — 8. …encore que sur certains points… — 9. …alors qu'il avait tout pour être heureux. — 10. …à moins que vous ne préfériez…

2 p. 83

1. Elle a beau ne pas savoir nager, elle a sauté dans la piscine. — 2. La situation avait beau être périlleuse, j'ai gardé mon sang-froid. — 3. Il avait beau demander une pièce avec insistance, personne ne prêtait attention à lui. — 4. Elle a beau s'astreindre à un régime, elle ne maigrit pas. — 5. Elle a beau avoir des échecs, elle est arrogante. — 6. J'avais beau être émue, je suis restée impassible. — 7. M. Bernard a beau avoir eu une promotion, il est furieux… — 8. J'ai beau avoir exprimé mes réticences, personne n'en a tenu compte. — 9. Elle avait beau étrenner une toilette éblouissante, personne ne faisait attention à elle. — 10. Cette performance avait beau être magnifique, il n'y a eu aucun écho dans la presse.

3 p. 84

1. …dans la limite des places disponibles. — 2. …ne serait-ce que cinq minutes… — 3. …sauf Jacques… — 4. …à moins que tu ne préfères… — 5. …du pain sans sel. — 6. …un souci si petit soit-il… — 7. …pas même mille euros… — 8. …sinon que Pierre va se marier le 3 août. — 9. …à condition que tu puisses me le rendre rapidement.

4 p. 84

1. Quoi que vous disiez, quoi que vous fassiez… — 2. Quoi que vous pensiez… — 3. Quoiqu'il la redoutât, l'épreuve de français était facile. — 4. Quoique je sois sûr de l'honnêteté du boulanger… — 5. Quoique paresseux, il se levait régulièrement… (quoiqu'il fût paresseux…) — 6. Quoiqu'il ait une apparence calme… — 7. Quoi qu'il m'écrive pour s'excuser… — 8. Quoique je ne sois jamais arrivé en retard, j'ai toujours l'habitude… *ou* Quoique que j'aie l'habitude de partir à la dernière minute, je ne suis jamais arrivé en retard.

5 p. 84

1. Quel que soit l'avis du médecin… — 2. Quelles que soient les dépenses… — 3. Quelque égoïste qu'il puisse être… — 4. Quelles que soient tes intentions… — 5. Quelque malade qu'il fût… — 6. Quelque malheureux qu'il soit… — 7. Quelles que soient mes notes… — 8. Quelque riche qu'il soit…

6 p. 85

1. Tout agrégé qu'il est… — 2. Si indulgent qu'il soit… — 3. Si fatiguée qu'elle soit… — 4. Si gentil qu'il soit… — 5. Tout blagueur qu'il est… — 6. Tout musicien qu'il est… — 7. …si sincère qu'il soit. — 8. Tout charmant qu'il est…

Pour aller plus loin

1 p. 85

1. Sans avoir jamais appris l'anglais… — 2. Sans avoir jamais su lire un plan… — 3. Sans vous avoir jamais parlé… — 4. Sans avoir eu le temps de déjeuner… — 5. Sans être un champion d'orthographe… — 6. Sans être riche… — 7. Sans lui avoir donné de pourboire… — 8. Sans avoir beaucoup préparé son concours…

2 p. 85

1. …malgré la concurrence (ou la rivalité) des autres candidats. — 2. …contre le gré de ses parents. — 3. …malgré son innocence. — 4. …malgré sa maladie. — 5. Malgré mes conseils… — 6. Contre la majorité des députés…

3 p. 86 / Suggestions car il y a plusieurs possibilités pour chaque adjectif

1. Des partis adverses. — 2. Des points de vue antagonistes. — 3. Des propositions anti-nomiques. — 4. Des solutions antithétiques. — 5. Des couleurs discordantes. — 6. Des pays hostiles. — 7. Des attitudes incompatibles. — 8. Des sujets, des points de vue inconciliables. — 9. Des prix prohibitifs. — 10. Des élèves protestataires. — 11. Des troupes rebelles. — 12. Un cheval récalcitrant.

4 / Exercice d'imagination

5 p. 86

1. a contesté — 2. a contrarié — 3. s'est refusé — 4. s'opposent — 5. regimbé — 6. se sont rebellés — 7. renâcle — 8. contredire — 9. contrecarrer — 10. objecté.

Partie 2
L'expression de l'opinion

L'Expression de la certitude

Texte de sensibilisation

INTERVIEW DE LA JEUNE COMÉDIENNE JEANNE LABORDE
(*Quotidien du Soir* du 8 janvier 2002. p. 88)

Q.S.: Jeanne Laborde, il y a peu de temps encore, votre nom était encore inconnu de la plupart des Français et, depuis le succès magnifique de **La Folle Rebecca** au cinéma, on ne parle plus que de vous; votre photo s'étale à la une de tous les journaux. Que pensez-vous de cette ascension (n'ayons pas peur des mots) spectaculaire?

J. L.: *Je ne pense pas* qu'il faille employer de si grands mots. *Disons que* j'ai eu de la chance. *J'estime* que je dois tout à mon producteur qui a eu le courage de *miser sur moi* et de me *faire confiance* alors que c'était mon premier rôle au cinéma.

Q.S.: Comment cela s'est-il passé?

J. L.: *J'ai l'impression que* cela s'est passé pour moi comme pour beaucoup d'autres. J'étais en terminale au lycée Louis Jouvet et je rêvais de faire du théâtre (j'en rêve toujours d'ailleurs). Je suivais parallèlement des cours de théâtre au cours Mison et j'avais déjà joué quelques rôles, entre autres celui d'Agnès dans l'**École des Femmes**. *Je pense que* cela avait bien marché. Un jour j'ai répondu à une annonce trouvée dans un journal en envoyant ma photo et mon C.V. On m'a téléphoné le lendemain et on m'a fait faire quelques bouts d'essais. J'étais très angoissée. Quand cela a été fini, l'assistant m'a dit: « *J'ai la conviction que* tu es la Rebecca qu'il me faut. » On m'a donné le scénario à lire. J'ai tout de suite été séduite par le personnage de cette fille à la fois ingénue et perverse; j'ai essayé de m'imprégner de sa personnalité, puis le tournage a commencé. *Je crois que* cela a été un des moments les plus extraordinaires de ma vie.

Q.S.: *Pensez-vous* avoir une Palme au festival de Cannes?

J. L.: *Il est évident que je n'ose pas l'espérer* mais *je suppose bien* que j'ai quelques chances.

Q.S.: Après ce succès, *pensez-vous* revenir à vos premières amours c'est-à-dire au théâtre ou croyez-vous que votre voie puisse être celle du cinéma?

J. L. : Je ne sais pas. Pour l'instant, *je ne veux* renoncer à rien. *C'est extraordinaire* d'être sur le tournage d'un film pendant trois mois dans une région nouvelle coupée du reste du monde ; on ne quitte pas les copains, partenaires ou techniciens. On ne fait que ça. On vit dans une super ambiance. *On se sent rassuré* car on *ne joue pas sans filet* comme au théâtre. *Je reconnais qu*'on touche aussi un public beaucoup plus étendu qu'au théâtre et que c'est plus facile de se faire un nom quand il est à l'affiche de tous les films dans les toutes les villes.

Q.S. : Vous avez un peu éludé ma question. Alors je vous la pose à nouveau mais *je crois comprendre* que vos préférences vont au cinéma. Pensez-vous faire carrière dans le septième art ?

J. L. : À mon âge, il est difficile de répondre à une telle question. J'imagine que ce sont les opportunités qui me guideront. Mais *je peux déjà affirmer à mi-mots* que je serais très tentée par un nouveau rôle au cinéma si l'on m'en proposait un. *Mon acceptation serait immédiate*, c'est *évident*.

Q.S. : *Peut-on croire* que vous avez des *projets* ?

J. L. : *Je ne l'affirmerai pas officiellement* mais *je crois que* tout est possible pour moi en ce moment. *Je suis convaincue que* quelque chose va arriver mais ce serait prématuré de le dévoiler.

Q.S. : *Bon, je crois comprendre* que vous avez eu des propositions, mais que *vous ne voulez pas* les divulguer. C'est normal. Alors il est temps de vous remercier et de vous souhaiter bon vent pour la suite de votre carrière. *Je crois qu*'on reparlera de vous bientôt. Je vous remercie.

1. Il s'agit d'une interview.
2. Un journaliste interroge une jeune comédienne.
3. Le nom de Jeanne Laborde est encore inconnu mais des succès récents laissent espérer qu'une belle carrière l'attend.
4. On veut lui faire dire qu'elle a signé des engagements pour le cinéma mais elle ne veut pas le dire car ce n'est pas encore officiel.

Pour communiquer

1 p. 91

1. J'en suis sûr. — 2. Je vous annonce une grande nouvelle. — 3. Je suis content de l'apprendre. — 4. Je vous certifie que c'est vrai. — 5. Je soutiens ce point de vue… — 6. Je me contente de rapporter… — 7. Je me permets d'insister… — 8. Je suis convaincu de son innocence. — 9. On nous a notifié que nous ne pourrions pas…

2 p. 92

1. Je crois qu'il sera en retard. — 2. Je ne pense pas t'avoir déjà dit cela. — 3. Je ne crois pas que la poste soit en grève. — 4. Est-ce que je t'ai écrit que mon père était bien

malade? — 5. J'espère qu'ils pourront déménager. — 6. Je ne pense pas que mon frère vienne. — 7. Il va de soi qu'il n'est pas possible… — 8. Je ne conçois pas que mon fils puisse épouser… — 9. Vous ne pensez tout de même pas que la politique soit réservée aux hommes? — 10. Est-ce possible qu'un jour il n'y ait plus de guerre?

3 p. 92

1. Je suis sûr qu'un jour on guérira le cancer; *ou* Je ne suis pas sûr qu'un jour on guérisse le cancer. — 2. Je ne crois pas qu'il faille changer de politique… — 3. Je ne prétends pas qu'on puisse s'informer en regardant seulement le J.T. de 20 heures. — 4. Il n'est pas évident qu'ils puissent s'accommoder d'un train de vie réduit. — 5. Je ne crois pas qu'on puisse gagner de l'argent…

Exercices écrits

1 p. 93

1. Je ne crois pas qu'il ait très envie de dormir. — 2. Sa femme ne pense pas qu'il ait raté… — 3. Il ne croit pas que les Martin soient également invités. — 4. Il n'est pas évident qu'il soit compétent… — 5. Il ne me semble pas qu'il ait… — 6. Je ne trouve pas qu'il soit… — 7. Nous n'avions pas pensé qu'il ait pu avoir un accident. — 8. Il n'imagine pas que nous puissions… — 9. Tu ne comptes pas que je vienne… — 10. Il n'est pas évident que ma réponse soit négative.

2 p. 93

1. Il est sûr que je pourrai avoir… — 2. Je suppose qu'il viendra… — 3. Il me semble que c'est un gars… — 4. Je pense que tu peux encore déposer ton dossier puisque le délai n'est pas encore passé. Tu as encore quinze jours. — 5. Il est évident qu'il ne voudra pas participer… — 6. Il se rend compte qu'il ne pourra pas finir… — 7. Je pense que mon mari pourra nous accompagner… — 8. Je certifie que mon chien a été vacciné. — 9. J'ai constaté qu'il avait cherché à contrefaire… — 10. Il est probable qu'il a une maladie…

3 p. 93

1. il y aura — 2. le cinéaste sera poursuivi — 3. les locataires devront payer — 4. était… sera… — 5. il avait — 6. il serait — 7. qu'il pouvait assumer — 8. …que ce tableau était un faux. — 9. soit rentrée — 10. pour que vous reteniez… qu'elles soient… — 11. avait contracté des dettes — 12. soit… faut…

4 p. 94

1. convaincu, persuadé — 2. garantit — 3. persuadé — 4. désavoué — 5. notifié — 6. informent — 7. insinué — 8. révélé — 9. rétracté — 10. stipule.

Pour aller plus loin

1 p. 94 / Exercice d'imagination : suggestions

1. Je vais être obligé de vous faire un examen pénible mais indispensable. *Je comprends très bien.*

2. La vie a encore augmenté. *Je suis bien d'accord avec toi.*

3. Tu devrais insister auprès de ton médecin pour avoir un rendez-vous d'urgence. *Je ne suis pas à convaincre.*

4. Je vais m'occuper de tes affaires. *Je te fais entière confiance.*

5. Tu es toujours d'accord pour aller au restaurant ce soir avec Muriel ? *Pas de problème.*

6. On se donne rendez-vous à 20 heures ? *Tes désirs sont des ordres.*

7. Qu'est-ce que je fais pour la banque ? *Je te donne carte blanche.*

8. Est-ce que je vais voir le professeur des enfants ? *Tu es le seul juge.*

9. Naturellement c'est toi qui offres la tournée ? *Compris.*

10. Alors, toujours d'accord pour demain matin ? *C'est O.K.*

2 p. 95 / Exercice d'imagination : suggestions

1. Maman est-ce que je peux aller en boîte samedi soir avec mes copains ? *J'ai dit non, c'est non.*

2. Tu m'as dit que tu m'aiderais à ranger ma chambre ? *Je ne reviens jamais sur ce que j'ai dit.*

3. Mon mari a été muté à l'autre bout du monde. *Je ne peux pas m'habituer à cette idée.*

4. Je trouve que Cédric devrait faire des études de droit. *Je ne suis pas du tout d'accord avec toi.*

5. J'ai inscrit mon fils dans une colonie de vacances. Est-ce que cela lui convient ? *Pas du tout, il freine des quatre fers.*

6. Je vais essayer de me faire nommer directeur à la place de notre ami. *Je te mettrai des battons dans les roues.*

7. Au restaurant : on paie chacun notre part ? *Il n'en est absolument pas question. C'est moi qui t'invite.*

8. C'est ma tournée. J'invite tout le monde. *Il n'y a aucune raison.*

9. Il faut que tu écoutes bien à l'école… *Cause toujours, tu m'intéresses.*

10. N'oulies pas de me rendre l'argent que je t'ai prêté. *Tu peux toujours courir.*

3 p. 95 / Les mesures dilatoires. Suggestions de réponses

1. Est-ce que je retiens des places pour cette croisière ? — 2. Alors, tu veux toujours t'inscrire dans ce parti politique ? — 3. Monsieur, je vous laisse signer ce contrat de location. — 4. Tu vas te marier avec Minou ? — 5. On change de voiture ? — 6. Il faut avoir signé avant demain matin. — 7. Tu devrais prendre des vacances. — 8. On part toujours pour le Brésil cet été ? — 9. On change d'appartement ? — 10. J'ai envie de

repeindre la cuisine ? — 11. Tu crois que tu ne pourras jamais te consoler que cette fille t'ait plaqué ?

Le compromis. Suggestions de réponses

1. Tu peux m'avancer de l'argent pour m'acheter une voiture ? — 2. J'aimerais bien habiter dans l'immeuble de ma mère ? — 3. Est-ce que tu as le droit de rompre ce contrat de location. — 4. Tu ne sais pas si tu t'abonnes au câble numérique ? — 5. Comment faire pour lutter rapidement devant l'insécurité ? — 6. Cette voiture est trop chère pour moi, mais elle me plaît. Je voudrais une réduction de 10 % sur le prix que vous me demandez. — 7. Vous viendriez avec nous au théâtre ? — 8. On sort dimanche ? — 9. Tu sais ce que tu vas faire pour les vacances ? — 10. Tu vas continuer tes études ou entrer tout de suite dans la vie professionnelle ? — 11. Pourquoi as-tu fait ce choix de vie ?

L'expression du doute et de l'incertitude

Texte de sensibilisation

LE CLOCHARD

Personne ne savait qui il était et d'où il venait. On *supposait* qu'il avait eu un passé difficile, plein *d'ombres* et de souffrances *secrètes*. On était habitué à le voir chaque jour, assis contre un muret, tendant une casquette *douteuse* pour récolter quelques pièces. Le dimanche, il prenait son vélo pour aller plus vite d'une église à l'autre afin de « faire toutes les sorties de messe ». Lorsque chaque battement de porte déversait sur lui les accents solennels des grandes orgues, il *ne mettait pas en doute* que le moment de la récolte la plus fructueuse de la semaine était venu !

Il *intriguait* les habitants de notre petite ville et les *supputations* allaient bon train. Les gens *se posaient mille questions* à son sujet. Quand on lui parlait, il répondait *laconiquement* d'une manière tellement *évasive* qu'elle était *incompréhensible*. Ses yeux toujours *dans le vague* cherchaient, *semblait-il*, une *hypothétique* consolation dans un *lointain mystérieux* dont lui seul connaissait les contours et l'*incommensurable* tristesse. Il se contentait souvent de *hocher la tête* comme s'il voulait garder pour lui seul le *secret* de son passé douloureux. *Qu'avait-il fait avant de sombrer dans la précarité et l'alcoolisme ? Avait-il eu une famille ? Un travail ? Était-il originaire de notre petite ville ? Pourquoi s'était-il fixé ici ? Qui était-il ?*

On ne *doutait* pas de sa détresse actuelle car son *énigmatique* demi-sourire impliquait de nombreux *mystères* et des *points d'interrogation* auxquels chacun essayait d'apporter une réponse sans *aucun fondement*.

Il y a quelques jours, je marchais sur le trottoir lorsqu'il m'a *semblé* reconnaître le visage de celui qu'on n'avait plus vu depuis quelque temps ; il était assis au soleil sur un banc devant l'entrée de l'hôpital, revêtu de l'éternel pyjama bleu pâle des pauvres dans les hospices. *Je le reconnaissais mal.* Je n'arrivais pas à savoir *si c'était vraiment lui* ou *quelqu'un qui lui ressemblait.* J'étais *perplexe. Fallait-il* lui sourire ? passer outre ? lui dire quelques mots ? *Et si ce n'était pas lui ?* On le *reconnaissait difficilement* car il était propre, rasé de frais contrairement à l'accoutumée. J'esquissai un sourire et continuai mon chemin d'un pas *hésitant* lorsque je l'entendis murmurer derrière moi quelques paroles *inaudibles* qui *avaient l'air* de m'être adressées. Je revins sur mes pas. Cette fois-ci je le reconnaissais mieux et me sentais plus sûre de moi : « Mais vous êtes là ? Vous êtes hospitalisé ? Depuis longtemps ? » Il me regarda longuement comme s'il voulait *tergiverser* et *chercher quelque faux-fuyant* avant de dévoiler son mal. « Regardez, me dit-il brusquement en me montrant une énorme grosseur sur son cou. "Ils" m'ont trouvé un cancer *à ce qu'ils disent*, et "ils" veulent me garder pour *je ne sais combien* de temps. Je ne suis pas habitué à vivre entre les quatre murs d'une chambre ; j'ai l'impression d'é-touffer là-haut ; il paraît qu'"ils" veulent me faire une chimiothérapie, mais *qu'est-ce que c'est encore ce machin-là* ? » Je suis restée *muette, ne sachant plus* ce que je devais dire ou ce que je devais faire. Dans mon *indécision*, je *bredouillai* quelques mots : « Je com-prends vos *interrogations. Est-ce que je* peux vous aider en quelque chose ? » Un sourire illumina quelques instants sa figure burinée et ravagée par le mal. « Ne vous en faites pas pour moi. Je vais remonter dans ma chambre car *"ils" ne doivent pas savoir* où me chercher et c'est bientôt six heures, l'heure du dîner. »

1. Un clochard = personne socialement inadaptée qui vit sans travail et sans domicile dans les grandes villes.
2. Demander de l'argent aux passants, faire la manche.
3. Il tombe malade. Il est hospitalisé et il ne comprend pas les traitements qu'on veut lui faire.

Pour communiquer

2 p. 100 / Plusieurs réponses possibles

1. Il est possible qu'il pleuve demain. — 2. Je serais étonné qu'il nous rapporte l'argent qu'il nous a emprunté. — 3. Je ne pense pas que nous dépensions plus de… — 4. Je doute qu'il soit un grand champion un jour. — 5. Je n'ai pas l'impression que tu puisses réussir ce concours. — 6. Je ne pense pas qu'il soit honnête ; *ou* Tout laisse à croire qu'il n'est pas honnête. — 7. Aurais-tu ce poste ? — 8. Je me demande si nous n'avons pas fait une erreur.

Exercices écrits

1 p. 100 / Suggestions car plusieurs réponses sont possibles

1. Y a-t-il beaucoup de pays en paix en ce moment ? — 2. Je ne suis pas sûr qu'il soit intelligent. — 3. Est-il vraiment travailleur ? — 4. Il n'est pas sûr que la liste soit abso-lument exhaustive. — 5. Je doute qu'il ait tant voyagé. — 6. Apparemment il a l'air d'un homme très riche, mais… sait-on jamais. — 7. Il n'est pas certain que la cuisine anglaise soit appréciée des Français. — 8. Vraiment ? les prélèvements fiscaux vont baisser ? A voir ! — 9. Certaines rumeurs disent que le Premier ministre va démissionner. — 10. Je ne sais pas si c'est un arbre qui perd ses feuilles en hiver.

2 p. 100

1. que nous nous soyons rencontrés — 2. viennent — 3. qu'il avait rencontré — 4. qu'il soit élu — 5. qu'il n'a jamais mis les pieds — 6. qu'il a enfourné — 7. tu ne passeras pas — 8. sache — 9. sache — 10. n'ait pas fait.

Pour aller plus loin

1 p. 100

1. Je me doute… — 2. Je ne me doutais pas… — 3. Je doute… — 4. Je doute… — 5. Je me doute… — 6. Il est hors de doute… — 7. Doutent — 8. Vous seriez vous douté… — 9. Je ne doute pas… — 10. Doutent — 11. Elle ne se doute pas…

2 p.101

1. qu'elle se mariera — 2. viennent — 3. que je réussisse — 4. puissent — 5. soit allé — 6. soit fini — 7. que je vienne — 8. que je viendrai.

Partie 3
L'expression des sentiments

Dossier 10

L'amour et la joie

J'AIME LA VIE

Oui, j'*aime* la vie car *elle est bonne* et que chaque moment demande à être *savouré* intensément. Chaque journée est riche *d'événements multiples* que bien souvent nous vivons trop machinalement, sans nous apercevoir qu'*il est bon de* respirer, qu'*il est bon de* manger, qu'*il est bon de* travailler, qu'*il est bon* d'aimer ou de recevoir des marques d'amitié.

Chaque année, des printemps *renaissent*, des fleurs *éclosent*, des moissons *ondulent*, des cerises *mûrissent*, des arbres se *revêtent* de leurs superbes teintes d'automne. Comment ne pas vivre intensément ces *fêtes de la nature*? Comment ne pas être rempli *d'allégresse* et d'a*dmiration* devant une telle surabondance de vie, capable de transformer des broussailles grises en gerbes de fleurs, des forêts tristes et dénudées en merveilleuses symphonies de couleurs?

Certes on ne peut nier que chaque existence est lourde aussi de périodes difficiles à traverser. Mais elles sont souvent la plupart du temps accompagnées de *marques d'amitié* qui méritent d'être profondément perçues et goûtées: une *main amie* qui se tend, un sourire, *une parole destinée à vous chauffer le cœur* ne sont-ils pas des aides puissantes dans la traversée des épreuves?

Les journaux ne nous offrent souvent que les récits douloureux de catastrophes ou de désastres. Certes, en apprenant ces nouvelles, notre cœur est *bouleversé* profondément par la souffrance de l'humanité. Notre premier mouvement est de ne voir dans le monde que *haine* et *turpitude*. Mais si nous ouvrons davantage les yeux, nous voyons aussi ceux qui savent aimer, ceux qui savent donner leur temps pour venir en aide aux naufragés de la société, ceux qui risquent leur vie ou même la donnent pour secourir les autres, ceux qui s'investissent totalement pour des inconnus dans la détresse ou la maladie. Ne méritent-ils pas qu'on s'arrête pour mesurer à quel point ils contribuent dans leur petite sphère à l'amélioration de la condition humaine?

Aimons les moindres circonstances de la vie, si petites soient-elles: la petite place de village chauffée par le soleil sur laquelle les gens *ont l'air heureux* de *boire un verre ensemble* à la terrasse d'un café; le manège de chevaux de bois autour duquel des parents souriants adressent *des signes de tendresse* à chaque passage de leur enfant; l'étal du fleuriste sur le trottoir, *la sortie bruyante et joyeuse d'une école primaire*, la devanture *changée en fête* par la grâce des décorations de Noël, l'enfant qui avec *toute la joie du monde dans les yeux*, souffle les bougies de son anniversaire, et mille autres choses qui sont la trame de notre vie quotidienne et lui apportent de l'intérêt. Sachons les vivre pleinement avec la totale conscience que ces *bonheurs partagés* même silencieusement participent à *notre bonheur de vivre* à nous aussi en le construisant avec toutes *ces petites richesses de* l'existence quotidienne. La pire des tristesses est de porter sur la vie un regard *blasé* car alors *plus rien ne vous touche*. Sachons percevoir la moindre passerelle tendue mystérieusement entre les êtres et n'oublions jamais que la vie est le plus précieux de tous les biens que nous puissions posséder sur cette terre.

1. L'idée principale de ce texte est de montrer que l'amour de la vie est un bonheur simple, accessible à tous ceux qui savent ouvrir les yeux pour voir le bon côté des choses qui se passent autour d'eux.

2. Amour de la vie en général
L'allégresse des renouveaux de la nature.
Les joies de l'amitié
La convivialité
La tristesse du regard blasé
La vie est bonne.

Exercices écrits

1 p. 105 / Suggestions car plusieurs réponses sont possibles

1. Je suis ravi… (très content etc.) — 2. Il aime que… — 3. C'est touchant… — 4. Il est bon… — 5. Il est agréable… — 6. C'est passionnant… — 7. C'est exaltant… — 8. …c'est un bon moment; …très agréable — 9. Il serait bon que… — 10. Je me réjouis que…

2 p. 106

1. délicieuse — 2. agréable — 3. charmant — 4. captivant — 5. piquante — 6. plaisante — 7. entraînants — 8. affriolant — 9. coquette — 10. enchanteur.

3 p. 106 / Suggestions

1. « C'est vraiment trop gentil; je suis ravi. Je vous remercie du fond du cœur. »
2. « Ce petit cadeau traduira tous les affectueux vœux de bonheur que je formule pour vous en ce jour de votre mariage. »
3. « Comme je vous remercie de m'avoir reçu si gentiment. J'ai été sensible à tous les soins que vous avez apportés pour confectionner un repas aussi délicieux. »
4. « Nous avons passé vraiment un bon moment ensemble. C'est bon et c'est rare de pouvoir échanger aussi profondément avec quelqu'un. »
5. Bravo pour ta réussite. Je me réjouis vraiment avec toi. C'est un succès magnifique ».

4 p. 106

1. une blague — 2. la plaisanterie — 3. farce, blague — 4. farces et attrapes — 5. boutade — 6. gaudrioles — 7. poisson d'avril — 8. canular — 9. pitreries — 10. boutade, plaisanterie.

Pour aller plus loin

1 p. 107 /Suggestions car un grand nombre de situations sont possibles pour chaque phrase

1. Il vient d'avoir plusieurs pépins de santé importants. Mais il ne se laisse pas abattre pour autant. *Il a du ressort.* — 2. Il voulait louer un appartement. Il fallait tellement de papiers et de conditions administratives que beaucoup se seraient découragés. Lui, *il se joue toujours des difficultés* et il a fini par obtenir ce qu'il voulait. — 3. Il monte son entreprise. Il n'arrête pas de se heurter à d'énormes difficultés. Mais *il lutte contre vents et marées* et il finira par y arriver. — 4. Cette jeune femme vient de perdre son mari. Elle est seule pour élever ses enfants, *mais elle ne perd pas pied*, et elle s'en sort bien. — 5. Il voulait inscrire son fils au lycée. On lui a dit que les effectifs étaient complets et que c'était impossible maintenant. *Il ne s'est pas arrêté au premier obstacle*, il a demandé à voir le chef d'établissement etc. et finalement il a pu obtenir ce qu'il voulait. — 6. Il voulait un rendez-vous urgent chez le médecin. On lui a répondu qu'il fallait une semaine d'attente. *Il ne s'est pas laissé démonter.* Il s'est présenté dans le salon d'attente sans rendez-vous et le médecin a fini par le prendre. — 7. Il vient de rater son examen. Mais comme *il ne s'avoue jamais vaincu*, il recommence à la prochaine session et cette fois-ci il réussira. — 8. On lui a refusé l'accès à des documents confidentiels ; mais *il s'est accroché* et finalement il a pu faire les recherches qu'il souhaitait. — 9. Il y a vingt candidats au poste auquel il postule. Des tas d'entretiens sont nécessaires. Mais *il faut partir gagnant* sans quoi ce n'est même pas la peine de se présenter ! — 10. *Il se démène comme un beau diable* pour obtenir un poste intéressant. — 11. Il a de gros ennuis professionnels mais *il ne se laisse pas abattre*. — 12. *Il se bat (magnifiquement)* contre son cancer.

2 p. 107 / Suggestions

1. Il est audacieux : il a entrepris une course en montagne très périlleuse. — 2. Il est dynamique : il anime avec beaucoup d'ardeur une association de quartier. — 3. Il est fonceur : il n'a pas craint de monter une entreprise tout seul. — 4. Il est intrépide : il n'a pas eu peur de partir à pied sur les chemins de la Chine pour mieux découvrir le pays dans sa profondeur. — 5. Il est persévérant ; il a entrepris une traduction des œuvres complètes de Virgile ; il en a pour des années. — 6. Il est résolu : il veut partir travailler un jour aux USA. Il y arrivera. — 7. Il est stoïque : dans son bureau plusieurs collègues lui disent des choses désagréables. Il les encaisse sans jamais répondre. — 8. Il est téméraire : les dangers ne lui font jamais peur, au contraire.

1 p. 108 / Sentiments contraires à l'amour

1. rancœur — 2. jalousie — 3. aversion — 4. haine — 5. répulsion — 6. rancune — 7. antipathie — 8. hostilité — 9. ressentiment — 10. vengeance.

2 p. 109 / Suggestions

1. Je ne lui fait pas de cadeau, cela coûte trop cher. — 2. Je voudrais bien savoir avec qui tu es sorti hier soir. — 3. Moi, il n'y a que moi qui m'intéresse. Les autres, je m'en fiche. — 4. D'abord mon petit confort personnel et tout le reste m'est égal. — 5. Elle en a de la chance de pouvoir se payer cela. Moi je n'ai pas cette chance. Je voudrais être à sa place. — 6. Oh! Elle téléphone encore à mon frère! — 7. Avec le peu d'argent qu'ils ont, ils vont encore se lancer dans des dépenses inutiles. — 8. Je me fiche royalement de tout cela. — 9. Combien gagnes-tu par mois? — 10. À partir de 19 heures, je ne réponds plus au téléphone: cela ne dérange. — 11. Moi seul ai la vérité. Tous ceux qui ne pensent pas comme moi sont dans l'erreur et doivent changer d'avis. — 12. Je vais vous parler de ma santé. C'est le seul sujet qui m'intéresse. Hier je me suis mouché etc. — 13. Rien ne me passionne. — 14. Je suis encore en retard. J'ai oublié de mettre mon réveil. — 15. Alors tu sais, Nadine a dit ceci sur toi quand tu es parti etc. — 16. Tout me paraît triste et monotone. — 17. Martin dit des choses fausses ou inventées. — 18. Moi, je suis mieux que les autres. — 19. Il pleut, je suis fatigué, j'en ai assez etc. — 20. Moi j'ai fait ceci de remarquable etc.

La peine, la tristesse, la souffrance

Texte de sensibilisation

La souffrance des enfants dans le monde au XXIe siècle

Le monde moderne a sans doute fait beaucoup de progrès mais il semble que plus que jamais des milliards d'enfants *souffrent* dans le monde, *victimes* bien souvent de la soif d'argent, de la violence et de l'appétit sexuel des adultes.

Des millions d'enfants sont entraînés chaque jour dans la *folie meurtrière des guerres*; ils sont *orphelins*, ils ont *peur* au point d'être *cassés* psychologiquement, ils *souffrent* à tout moment dans leur corps d'une faim horrible qui les *tenaille* et les *affaiblit* définitivement, ils ne seront jamais scolarisés. Une misérable *survie* sera le but unique de toute leur *courte existence*. Certains n'ont pas d'autres ressources que de passer leur enfance à *fouiller les monceaux d'ordures* pour trouver leur *subsistance*.

Des millions d'enfants sont *mutilés* définitivement pour avoir sauté sur une mine anti-personnelle enfouie dans la terre par des adultes conscients du *mal* qu'ils allaient produire.

D'autres sont contraints de se *prostituer* dans les villes où le tourisme sexuel amène par *charters* entiers des clients riches, friands de ces petits êtres dont *la possibilité de manger est soumise aux fantasmes* d'adultes sans scrupule… puisqu'ils ont de l'argent.

Dans d'autres pays, des millions d'enfants de moins de dix ans sont soumis à une *implacable loi du travail* qui les contraint à passer quinze ou vingt heures par jour à *user leur santé* pour fabriquer des objets de luxe ou de pacotille qui seront vendus à *bas prix* dans les grandes villes du monde riche où des adultes nantis diront avec un sourire de satisfaction : « Cette petite nappe toute brodée, je l'ai payée rien du tout ! »

Des milliers d'enfants, même dans les pays soi-disant civilisés doivent encore mendier dans les couloirs de métro et dans les rues, sans compter tous ceux qui sont *battus à la maison, violés, martyrisés, victimes du déséquilibre* des adultes.

Quand on a huit ou neuf ans, la vie devrait être une *fête alors que pour des millions d'enfants elle n'est souvent qu'un long cortège de jours de malheurs et de peines*, la plupart du temps vécus dans le silence et la peur.

On voudrait pouvoir crier à l'humanité que la première de ses tâches serait de penser aux *souffrances des enfants*; ils n'ont pas demandé à vivre et avant même d'arriver à l'âge adulte, ils sont déjà *marqués par le malheur, la haine, les privations de toutes sortes*; on voudrait implorer la pitié du monde entier pour ces pauvres petits qui, sous tous les cieux, *ne peuvent plus sourire* par la simple faute des hommes. On se sent totalement impuissant devant *tant de souffrances*: pourtant avons-nous le droit de fermer les yeux devant ce qui est de plus en plus évident et de nous contenter de notre petit confort quotidien dans lequel nos propres enfants ont tant de jouets inutiles qu'ils ne les regardent même plus?

1. Ils sont orphelins; ils sont cassés psychologiquement; ils ont faim; ils ne sont pas scolarisés; ils sont victimes des bombes; des abus des adultes; ils travaillent alors qu'ils n'en ont pas l'âge etc.

Exercices écrits

1 p. 115 / Suggestions

1. Il a été peiné d'apprendre qu'on disait du mal de lui. — 2. Je suis chagriné de ne pas avoir su que votre mari avait été si malade. — 3. Nous sommes navrés qu'il y ait eu un malentendu sur la date de nos retrouvailles. — 4. Les enfants souffrent toujours de voir leurs parents divorcer. — 5. Elle ne peut pas comprendre que son fils lui ait menti. — 6. C'est une maman qui pleure chaque fois qu'elle quitte son enfant. — 7. Cela fait souffrir de vivre avec des égoïstes. — 8. Les parents ont accusé le coup quand ils ont appris que leur fille faisait ce mauvais mariage. — 9. Il a été longtemps dans l'affliction quand son ami est mort. — 10. Les enfants ont fait la grimace quand on leur a dit que dimanche nous resterions à la maison.

2 p. 115 / Suggestions

1. Je me plains d'avoir été lésé dans cette affaire. — 2. J'ai perdu mes illusions quand j'ai vu que je ne pouvais pas compter sur mon frère. — 3. Je suis triste que mes enfants soient ingrats *ou* je suis triste de voir que mes enfants sont ingrats. — 4. Je suis blessé de ne pas avoir été consulté. — 5. Je suis déçu que mon collègue ait déjoué mes plans. — 6. Je suis désappointé de ne pas savoir ce que je dois faire. — 7. Je suis désolé de ne pas pouvoir t'aider… — 8. Je suis navré que ma femme ne puisse nous accompagner. — 9. Je suis triste que ma meilleure amie ait oublié mon anniversaire. — 10. Je suis ulcéré que mon neveu se soit marié sans rien me dire.

3 p. 116

1. aigreur, amertume, morosité — 2. déboires, désenchantements — 3. déception, désillusion — 4. aigreur, morosité — 5. déception, désillusion, amertume, désenchantement — 6. amertume, aigreur, désappointement — 7. désappointement, déception, déconvenue — 8. échec — 9. déceptions en déceptions, échecs en échecs — 10. morosité.

Pour aller plus loin

1 p. 116

1. deuil — 2. l'affliction — 3. mal — 4. atrocités — 5. des blessures — 6. déchirement — 7. peine — 8. souffrances — 9. enfer — 10. mélancolie.

2 p. 116 / Exercice d'imagination

Partie 4
L'expression du temps

L'expression de l'antériorité

Texte de sensibilisation

LES TRANSPORTS *IL Y A DEUX CENTS ANS*

Autrefois, il n'*était*[1] pas facile de traverser la France car les moyens de transports *étaient* précaires. *Jusqu'au moment où* la découverte des chemins de fer a transformé les conditions de voyage, il *fallait* beaucoup de courage pour se mettre en route. Et pourtant l'inconfort et le temps n'*arrêtaient* pas les voyageurs puisque, dit-on, les routes *étaient sillonnées* constamment par des marchands, des colporteurs, des curieux, des explorateurs, des musiciens, des comédiens ambulants, des pèlerins. Le temps ne *comptait* pas. On *pouvait* mettre trois jours pour faire quarante kilomètres, changer une dizaine de fois de chevaux, être cahotés dans une diligence dure et inconfortable : tout *était* bon pour ces hommes hardis qui ne *craignaient* ni la fatigue, ni la pluie, ni la neige, ni le soleil. De nos jours, les récits de ces interminables périples au XVIIIe ou XIXe siècle nous intéressent vivement par des détails qui nous amusent ou nous font frémir.

L'un de ces voyageurs anonymes, un musicien ambulant particulièrement pauvre, *a noté* tous les détails de son parcours entre Paris et Chalon-sur-Saône. E*n attendant le moment* du départ, il *avait dû* s'installer longtemps à l'avance dans une auberge où il *était* obligatoire de consommer des boissons d'un prix très élevé. *Jusqu'au moment* du départ de la diligence, il avait dû commander à plusieurs reprises de nouvelles boissons *si bien qu'avant même d'avoir mis le pied à l'intérieur de la voiture, il avait déjà dépensé* la plus grande partie des ressources de sa pauvre bourse.

Les valets *s'étaient évidemment précipités* pour lui porter ses malles qu'il *était* tout à fait en état de porter lui-même ; il *avait donc dû* leur donner des pourboires exorbitants. À chaque relais (de Paris à Châlon-sur-Saône, il y en avait 22 !), *il avait encore fallu* donner de nouveaux pourboires aux postillons, manger à la table d'hôte avec des menus coûteux prêts à l'avance pour un prix fixe. *En attendant le moment* où le postillon voulait bien se décider à remonter sur son siège, il *fallait* attendre de longues heures à

------

1. Tous les verbes à un temps du passé contribuent à marquer l'antériorité. C'est pourquoi ils sont mis en relief également.

écouter les valets se plaindre de ne pas recevoir assez d'argent. Le soir on *s'arrêtait* souvent dans des auberges la plupart du temps misérables où *dès qu'on avait éteint* sa chandelle, des nuées de punaises venaient vous piquer jusqu'au lever du jour.

Un certain soir, le cabriolet *s'était engagé* en pleine nuit dans une forêt obscure et comme le postillon *avait décidé* de ménager ses chevaux, il *avait fait* descendre les voyageurs de voiture. *Jusqu'au moment où* le cocher s'était enfin décidé à reprendre convenablement la route, ils avaient dû suivre la diligence à pied. *En attendant*, ils avaient dû marcher sur une route givrée à la seule clarté de la lune ; à peu de distance de leur petite caravane, ils *avaient entendu* les hurlements des loups et les fracas des torrents ; au bout de quelques heures, ils *avaient crié grâce* ; épuisés de fatigue, ils *avaient dû* ramasser des brindilles dans l'obscurité, avant de pouvoir dormir quelques heures dans une cabane perdue, ; *il leur fallut* allumer un méchant feu de bois en pleine nuit pour se réchauffer un peu tant leurs membres *étaient glacés, avant de* s'étendre sur un grabat de feuilles sèches. Malgré tant de péripéties, ce pauvre musicien qui a fini par arriver en Italie au bout d'un trajet de plus d'un mois, est toujours resté gai et plein d'humour dans ses réflexions.

1. Un musicien ambulant.
2. Oui. On ne faisait pas beaucoup de tourisme mais il y avait des colporteurs, des marchands, des comédiens, des pèlerins etc.
3. Habituel : le premier paragraphe.
Occasionnel : paragraphes 2 et 3. Puis paragraphe 4.

Exercices écrits

 p. 124

1. J'ai besoin de me reposer avant que nous ne partions en voyage. — 2. Je dois donner un coup de téléphone avant que nous ne déjeunions. — 3. Le chauffard avait trop bu avant qu'il n'ait eu (avant d'avoir eu) son accident. — 4. L'automne est bien beau avant que les feuilles ne tombent. — 5. Les agriculteurs ont du souci avant que les moissons ne soient faites. — 6. On craint toujours la pluie avant de commencer les vendanges *ou* Avant que les vendanges ne soient faites *ou* En attendant de commencer les vendanges *ou* Jusqu'à ce que les vendanges soient faites. — 7. J'espère une lettre de toi avant que tu ne reviennes. — 8. Avant que vous ne choisissiez définitivement… — 9. En attendant que le Tour de France ne commence… — 10. Avant que le rideau ne se baisse…

2 p. 124

1. Avant de faire la cuisine il faut acheter un bon livre de recettes. — 2. En attendant que tu ne reviennes, j'ai le temps de faire une course. — 3. Tu dois connaître le code de la route avant d'apprendre à tenir un volant. — 4. Il faut préparer un sapin… en attendant le jour de Noël. — 5. Il était déjà surmené avant de tomber malade. — 6. Avant de partir en voyage, nous laissons toujours les clés à la concierge. — 7. Du plus loin qu'il

se souvienne, il revoit la tapisserie de sa chambre d'enfant. — 8. Avant de savoir le français parfaitement nous devons apprendre la grammaire. — 9. En attendant de savoir lire, l'enfant regarde des livres d'images. — 10. J'irai au cinéma quand j'aurai fini de ranger ma chambre.

3 p. 125

1. jadis — 2. dans le temps — 3. naguère — 4. il y a longtemps — 5. il y a quelque temps — 6. il y a quelque temps, au cours d'un voyage… — 7. peu de temps avant les vacances… — 8. peu de temps avant notre rencontre… — 9. lors de notre entretien — 10. avant de partir.

4 p. 125 / Suggestions

1. fermer la porte — 2. tu reviennes — 3. elle a su qu'il était hors de danger — 4. tu ne sortes — 5. je me souvienne… — 6. en attendant le départ du train — 7. peu de temps avant son examen — 8. que ce soit l'heure de se coucher — 9. qu'elle vienne — 10. jusqu'à ce que nous puissions partir… — 11. Avant qu'il ne sache… — 12. En attendant que je revienne…

5 p. 125

1. Avant de téléphoner, regardez le numéro sur le minitel. — 2. Avant de faire du ski, tu dois t'entraîner. — 3. Jusqu'au moment où vous passerez votre concours, vous devez beaucoup travailler. — 4. Avant de faire une conférence, il doit la préparer. — 5. Avant de juger, on doit réfléchir. — 6. Avant de donner la contradiction on doit être sûr de ce qu'on veut dire. — 7. Avant de savoir peindre on doit faire beaucoup d'exercices. — 8. Avant d'être cultivé, on doit beaucoup lire.

6 p. 126

1. Elle pensait qu'elle avait raison. — 2. Il croyait que ses parents étaient à la maison. — 3. Nous n'avons pas cru ce qu'elle nous disait. — 4. Je souhaitais qu'il vienne (qu'il vînt). — 5. Il n'a pas pensé que sa sœur ait été très malade. — 6. Il ne savait pas encore que son chien était mort. — 7. J'ai reconnu que je n'avais jamais appris le code de la route. — 8. Il était heureux que sa villa fût enfin construite. — 9. J'étais navré que vous n'ayez pu me joindre. — 10. Il était impensable que nous soyons restés…

7 p. 126

S'appelait. Était. Avait, s'arrachait, éparpillait, répandait.

Entreprit, répéta. Était placé, s'étonnaient, ne répondit pas, s'appelaient. Comparait, regardait.

Avait reçu, tâchait. Menaçait, fût.

L'avait mis, le trouva. L'avait tué.

Texte p. 127

1. Il s'agit de la réapparition d'un souvenir, à partir du goût d'un petit gâteau, une madeleine. L'auteur avait complètement oublié cet épisode minime de son enfance.

2. L'auteur est Marcel Proust qui, à l'âge adulte, à partir de l'évocation de ce souvenir matériel, réécrit toute l'histoire de son passé (*A la recherche du Temps perdu*).

3. L'événement: manger à nouveau par hasard une madeleine trempée dans du tilleul: La sensation: le goût de la petite madeleine dans sa bouche.

4. L'enchaînement de l'évocation des souvenirs: les formes: le petit coquillage de pâtisserie, son plissage sévère, l'odeur, la saveur.
Puis la vieille maison de sa tante Léonie, la rue, sa chambre, le jardin, la maison de ses parents, la ville.
Puis ses occupations dans la petite ville, les courses, les chemins, les fleurs de son jardin, le parc de M. Swann, les nymphéas de la Divonne, les bonnes gens du village, leur logis, l'église, puis tout Combray.

L'expression de la simultanéité

Texte de sensibilisation

ÉTRANGÈRE PARMI LES ÉTRANGERS : MES PREMIÈRES ANGOISSES

Nous avons tous commencé nos études de français *le même jour.* Quand le professeur a pris la parole pour la première fois je n'ai rien compris. Pour moi, cela a été la panique totale. « Qu'est-ce que j'étais venue faire ici ? *Je ne comprenais rien alors que je croyais avoir de bonnes bases* ; je ne m'habituerai jamais à entendre tant de paroles dont je ne devinais même par le sens... Avec une telle impossibilité de comprendre la moindre chose comment serait-il possible de faire des progrès un jour ? » Comme notre enseignante avait une voix douce et qu'elle nous souriait beaucoup, j'ai compris au bout d'un moment qu'elle nous souhaitait la bienvenue. *J'ai regardé mes nouveaux compagnons. J'ai vite vu qu'eux non plus ne comprenaient rien,* malgré la tension d'esprit que je lisais sur leurs visages. Cela m'a rassurée. Nous avons lu un petit texte dont le vocabulaire m'était pratiquement inconnu. Je ne comprenais même pas le sujet dont il était question. *Pendant que je me disais que j'étais incapable de suivre cette classe, j'observais les réactions* des autres. Visiblement personne ne comprenait de quoi il s'agissait.

Toutes les fois que j'essayais de me faire expliquer quelque chose par mon voisin, il me regardait avec angoisse, et avec un geste impuissant de la main et une grimace significative, il me montrait que rien ne passait pour lui non plus. La seule chose que nous ayons comprise, c'est que le soir, à la maison, nous devions travailler cet article de journal ; je l'ai fait avec ardeur car je savais *qu'au même moment les autres avaient leur dictionnaire à la main et travaillaient avec le même soin.*

Le lendemain, le professeur a posé des questions sur cet article. *Un Chinois a tout de suite répondu tandis que les autres se taisaient,* une Italienne a levé le doigt *à l'instant où j'allais moi-même poser une autre question* parce que je venais enfin de comprendre le sens d'une phrase *qui m'avait complètement échappé jusque-là. À cet instant, on a vu que toute la classe commençait à comprendre un tout petit peu plus que la veille.*

Au fur et à mesure que nous avancions dans la lecture du texte, le professeur donnait des explications supplémentaires *qui révélaient tout à coup un mot, une phrase, un paragraphe. Chaque fois que nous avions perçu quelque chose de nouveau, notre enseignante visiblement satisfaite, nous posait des questions* sur un sujet proche du texte qui devait amener une réponse précise. C'était passionnant de voir progresser tout le groupe, *chacun avec un rythme différent, plus ou moins rapide, mais toujours contrôlé par de nouvelles questions* qui assuraient la certitude de la compréhension.

Nous avons travaillé ainsi pendant deux semaines. *Au bout de ce temps, la classe entière avait acquis un certain nombre de connaissances* qui ont permis d'établir les premiers échanges intéressants entre nous et de nous comprendre. *À mesure que nous progressions, nous oubliions* que nous étions étrangers par nos diversités d'origine ; un terrain d'entente de plus en plus complexe et diversifié s'était installé au milieu de notre groupe. *À la fin du premier mois, nous avions si bien cheminé et travaillé, que nous avons pu dîner un soir tous ensemble. Quand quelqu'un lançait une plaisanterie en français, tout le monde éclatait de rire* ; certains répondaient *tandis que* les autres quelquefois se faisaient expliquer encore ce qui leur avait échappé mais c'était drôle. Finalement nous avons passé une soirée très amusante et riche d'échanges variés. Quand nous nous sommes quittés, six mois plus tard, nous avons échangé nos adresses car nous savions que nous serions capables de traverser le monde pour nous revoir.

1. Les actions qui se produisent simultanément :
Nous avons tous commencé nos études de français/le même jour.
Quand le professeur a pris la parole/je n'ai rien compris
Je ne comprenais rien/je croyais avoir de bonnes bases.
J'ai regardé mes compagnons/j'ai vu qu'ils ne comprenaient rien.
Pendant que je disais que j'étais incapable/je regardais mes compagnons.
Un Chinois a répondu/les autres se taisaient
Une Italienne a levé le doigt/j'allais poser une question. etc..

2. L'emploi d'expressions comme : le même jour ; toutes les fois ; au fur et à mesure etc.

Pour communiquer

1 p. 131

1. Oui, j'écoute la radio pendant que je fais ma toilette. — 2. Bien sûr, tout en repassant mes chemises, je regarde la télévision. — 3. Non je ne peux pas continuer à lire pendant qu'on me parle. — 4. Oui je lis au cours d'un voyage en train ou en avion par exemple. — 5. Non je ne peux pas faire deux choses à la fois ; je ne peux pas me concentrer sur une conversation tout en faisant une tâche matérielle.

Exercices écrits

1 p. 133 / Suggestions car de nombreuses réponses sont possibles

1. Chaque fois que mes parents partent en voyage, ils achètent un cadeau… — 2. Le président de la République ne se déplace pas sans être entouré de « gorilles ». — 3. Dès que les premiers froids arrivent il attrape un rhume qui dure un mois. — 4. Quand les artistes viennent saluer, le public applaudit. — 5. Si le nouveau directeur annonce une réforme…, c'est tout de suite une levée de boucliers. — 6. En même temps que le printemps arrive, les arbres ont des bourgeons. — 7. Quand une pièce est jouée pour la première fois… — 8. Une grève à la RATP entraîne toujours une vie impossible pour les Parisiens. — 9. Chaque fois qu'il y a une nouveau travail à faire, il prétexte toujours… — 10. Il regarde toujours les matchs quand il y en a un qui est transmis par la télévision.

2 p. 133

1. Depuis qu'il est à Paris, il va voir des films français. — 2. Quand ses enfants ne sont pas en vacances elle peut travailler à plein temps. — 3. Depuis qu'il est au chômage, il fait de la dépression. — 4. Du jour où j'ai essayé de connaître les grands auteurs, j'ai mieux lu le français.

3 p. 133

1. À mesure que la pièce de théâtre avançait, la fatigue des comédiens se lisait sur leurs visages.

2. Plus son père parlait, plus elle sentait monter en elle l'envie de claquer la porte… *ou* À mesure que…

3. Plus il regardait agir Sophie, plus il comprenait… *ou* À mesure qu'il regardait agir Sophie, il comprenait…

4. Plus le peintre vieillit, meilleure est son œuvre.

4 p. 134

1. Tant que tu ne comprendras pas mon comportement, tu continueras à m'en vouloir. — 2. Pendant tout le temps où elle l'écoutait, elle était passionnée. — 3. Tant que nous n'aurons pas repéré notre route sur le plan, il sera inutile de continuer. — 4. Tant que je travaillais avec lui, il était attentif *ou* Pendant tout le temps où je travaillais avec lui…

Pour aller plus loin

1 p. 134 / Retarder

1. atermoyer — 2. différer — 3. retarder — 4. sursis — 5. renvoyé — 6. une réponse dilatoire — 7. délai — 8. retarde — 9. d'affilée, retardé — 10. différer — 11. repousser, solliciter un report.

2 p. 135 / Avancer

1. d'avance — 2. distancé — 3. dépasse — 4. devancé — 5. dépassée — 6. n'anticipe pas — 7. je te précède — 8. préviendrai… à l'avance — 9. avance — 10. est allé au-devant de toutes mes espérances.

3 p. 135 / Les expressions qui marquent la simultanéité

1. en mesure — 2. au même pas, en cadence — 3. en même temps — 4. parallèlement — 5. de concert *ou* conjointement — 6. de concert — 7. au même rythme — 8. de conserve *ou* ensemble — 9. simultanément — 10. en même temps *ou* parallèlement *ou* simultanément — 11. en cadence *ou* en mesure.

L'expression de la postériorité

Texte de sensibilisation

LE XXIᵉ SIÈCLE

On a déjà fait beaucoup de prévisions sur *l'avenir* de notre civilisation et beaucoup de *prédictions* sur les cent années de ce XXIᵉ siècle que nous avons déjà entamé.

Beaucoup le voient comme un siècle difficile dans lequel le *chômage et la misère seront les premiers acteurs du drame de la pauvreté d*ont nous ne voyons que trop les *prémices.* On imagine qu'une fois la précarité éradiquée, si toutefois cela n'est pas une utopie, une fois la famine combattue dans le monde, *les hommes pourront aspirer à un certain mode de vie décente.*

D'autres *l'imaginent* comme un siècle où *il y aura* une population tellement importante sur la planète que les moindres gestes de la vie élémentaire *deviendront* sources de difficultés majeures. Et pourtant dès qu'un certain chiffre de la population sera atteint, la vie, à brève échéance, risquera de devenir très difficile si les hommes ne s'ingénient pas à la rendre humaine en utilisant tous les moyens dont ils pourront disposer. D'autres, au contraire, *l'envisagent* comme un siècle lumineux où la science et la technologie *atteindront* un tel degré de perfection que *notre vie en sera complètement transformée.* Dans un *avenir lointain*, on ne peut encore *prévoir* les conséquences de toutes les découvertes, mais on sait que désormais le monde a changé et que *rien ne sera plus comme avant.*

Le bon sens veut que l'on ne pousse pas les *prévisions* à un degré extrême. Le XXIᵉ siècle *sera*, certes, un siècle difficile comme tous les autres siècles, car la vie n'a jamais été simple pour les hommes, que ce soit au Moyen Âge, au temps de la Révolution ou sous la Vᵉ République. *Il y aura* toujours la souffrance, la maladie, la mort, la pauvreté, les catastrophes naturelles en plus de toutes les misères qui sont amenées par la haine des hommes les uns pour les autres, que ce soit pour des raisons politiques, religieuses, ethniques, raciales ou autres. *Il sera un siècle* où, comme à toutes les époques, se côtoieront le pire et le meilleur, où certains *feront* leur tâche de chaque jour avec conscience et honnêteté pendant que d'autres exploiteront la misère humaine pour augmenter leur fortune ou pour trouver des moyens de plus en plus sophistiqués pour tuer leurs semblables.

Mais ce dont nous sommes sûrs dans un avenir proche, c'est que le XXIᵉ siècle sera celui que les hommes de demain bâtiront avec leur intelligence certes, mais aussi avec leur cœur, leur bon sens et leur désir de préparer le bonheur des générations futures. On ne récolte que ce que l'on a semé et aussi ce que les autres ont semé pour vous. Si le monde continue à vivre dans la haine, le désir de détruire et de tuer, dans l'appât sans scrupule du profit, dans l'insouciance de la destruction de l'environnement, le XXIᵉ siècle se transformera rapidement en enfer pour ceux qui viendront après nous.

Alors, ayons à cœur de construire pour eux, un monde dans lequel les mots « bonheur », « amour », « simplicité », « générosité », « partage », « responsabilité », « désir de paix » ou tout simplement « construction d'un monde vivable pour tous » auront encore un sens.

1. Par l'emploi du futur et du futur antérieur et d'expressions qui marquent le futur : une fois que, dans un avenir lointain, un avenir proche

2. Prévisions ; l'avenir ; prédictions, les prémices, construction etc.
Envisager, bâtir, préparer, construire etc.

Exercices écrits

 p. 139

1. Je me coucherai quand j'aurai fini mon travail *ou* Je ne me coucherai pas tant que je n'aurai pas fini mon travail etc. — 2. J'inviterai des amis quand j'aurai terminé mon projet… — 3. Je ne te téléphonerai pas avant d'avoir fixé une date. — 4. Lorsque les travaux seront terminés les ouvriers enlèveront leur matériel. — 5. Quand les enfants auront terminé leurs examens, nous pourrons partir.

p. 140 / Suggestions car un bon nombre de réponses est possible

1. La vaisselle une fois terminée, je balaierai la cuisine. — 2. Il faut d'abord apprendre la leçon et ensuite faire l'exercice. — 3. Après le dessert, on servira le café. — 4. Mets d'abord ton clignotant à gauche, ensuite tu te mets progressivement au milieu de la route et après tu peux tourner. — 5. Après avoir pris ma douche, je m'habille et ensuite je sors.

p. 140

1. Après avoir fait installer une porte blindée… — 2. Après avoir aidé leurs enfants à faire des études et à avoir une situation, les parents… — 3. Après avoir vu l'Auvergne, vous aurez envie de découvrir le Limousin. — 4. Après avoir commencé ce livre, tu ne pourras plus le lâcher.

p. 140

1. sous peu *ou* dans une petite minute *ou* dans un moment — 2. le plus rapidement possible *ou* dans les plus brefs délais — 3. dès que — 4. à brève échéance — 5. incessamment — 6. dans un avenir proche — 7. un avenir lointain — 8. ultérieurement — 9. partie remise — 10. dans un bref délai.

Pour aller plus loin

1 p. 141

1. Après être rentré… — 2. Après avoir pris connaissance… — 3. Après avoir expliqué les raisons… — 4. Après avoir payé toutes mes factures… — 5. Après avoir acheté son magnétoscope… — 6. Après avoir dansé… — 7. Après avoir traité notre sujet…

2 p. 141

1. Après avoir inauguré le salon du Livre puis avoir visité les différents stands, le ministre de la Culture s'est montré satisfait… — 2. Après avoir appris que la France… les marins pêcheurs ont saccagé… — 3. Après avoir vivement critiqué l'action du premier ministre, plusieurs dirigeants socialistes ont manifesté le désir que… — 4. Après avoir dénoncé l'impuissance de l'école à remettre en cause les hiérarchies sociales, le ministre de l'Éducation nationale a annoncé la mise en place de nouvelles réformes. — 5. Après avoir éliminé en quart de finale des championnats d'Europe les basketteurs italiens, les basketteurs français ont dû s'incliner devant la Grèce.

Le déroulement du temps et la durée

Texte de sensibilisation

MON JARDIN

Le printemps est enfin arrivé. *Cela fait une semaine qu*'il fait beau, *cela fait aussi une semaine que* je travaille *sans cesse* dans mon jardin. Il *m'a d'abord fallu* deux jours pour ramasser et brûler les feuilles mortes et les broussailles de l'an passé ; depuis *l'hiver dernier*, elles envahissaient le potager et empêchaient la croissance de la végétation nouvelle. J'*ai mis une journée presque entière* pour retourner la terre, bêcher, aplanir, ratisser et *il m'a fallu tout le reste du temps* pour semer, planter, et mettre des bulbes dans la terre. Maintenant *il ne me reste plus qu*'à attendre la pluie ; il faudrait une bonne averse, *pendant plusieurs heures* d'affilée et ensuite quelques longues journées de soleil pour que tout puisse germer, sortir, pousser.

Mon voisin m'a dit : « *Dans combien d'années* allez-vous vous décider à planter des arbres fruitiers ? Plantez donc des cerisiers : une variété *précoce* et une variété *tardive*. Vous aurez ainsi des fruits pendant *plusieurs semaines sans discontinuer*. *Depuis que je vous le dis !* » Et *j'ai fini par* me décider ! *L'année prochaine* je planterai un pommier, *l'année suivante* un abricotier et *ainsi de suite chaque année*.

Jusqu'à présent, rien ne pouvait me faire lever la tête de mes livres ; il me semblait qu'ils étaient les seuls au monde à pouvoir susciter en moi un intérêt inégalable ; et voilà que *depuis que je sais que quelques graines vivent et grandissent* dans mon jardin, je deviens autre ; *depuis la semaine dernière*, je ne *cesse* d'aller voir si une petite pousse verte ne va pas sortir du sein de la terre ; j'examine les bourgeons *du matin jusqu'au soir* ; *tout à l'heure* j'évaluais les chances de pluie en observant la course des nuages dans le ciel ; je me suis aperçu que mon regard sur la nature avait changé car *maintenant je sais que* grâce à mon travail, la vie va renaître et devenir exubérante en ce jardin qui *depuis si longtemps* dormait sous la neige et les brumes de l'hiver.

Pour communiquer

 p. 143

1. Maintenant cela commence à bien faire. J'attends depuis vingt minutes. Chacun son tour.

2. Une heure de retard ! Pour moi c'est catastrophique ; je devais prendre une correspondance. Je vais la rater. Tous mes projets sont par terre.

3. Je sais que j'ai dépassé les délais d'inscription. Mais si c'est encore possible, inscrivez-moi le plus vite possible ; j'ai encore une petite chance.

4. Mais c'est insensé! Il y a quinze jours que je devrais avoir reçu mon chèque et je n'ai toujours rien reçu. Cela me cause un préjudice terrible. Faites le nécessaire pour que je le reçoive maintenant dans les plus brefs délais.

5. Je ne vous attendais pas si tôt. Mais cela n'a pas d'importance. Les amis n'arrivent jamais trop tôt. On va faire la cuisine ensemble et on prendra tranquillement l'apéritif pendant que tout sera dans le four.

6. Encore deux minutes, s'il vous plaît; j'ai presque fini. Il me reste juste à écrire les dernières lignes.

7. Je vous demande de m'octroyer un délai de quinze jours car je suis dans l'embarras actuellement. Mais je fais tout ce qui est en mon pouvoir et j'espère d'ici quinze jours être arrivé à résoudre mon problème.

8. Ecoutez, je n'en peux plus d'attendre; c'est trop long. Je reviendrai un autre jour où il y aura moins de monde.

Exercices écrits

1 p. 144

1. début, commencement — 2. débuts — 3. débutant — 4. l'entrée en matière — 5. l'inauguration — 6. début — 7. ouverture — 8. le prologue — 9. le vernissage — 10. l'ouverture.

2 p. 144

1. il a commencé — 2. d'amorcer — 3. il a esquissé, il a ébauché — 4. a entonné — 5. l'entamer — 6. entreprendre — 7. attaqué — 8. d'amorcer — 9. démarrer — 10. déclencher — 11. commencé, ouvert — 12. ai étrenné — 13. ouvert, inauguré — 14. d'entamer, de commencer.

3 p. 145

1. l'achèvement — 2. l'issue — 3. le mot de la fin — 4. un terme — 5. la cérémonie de clôture — 6. le dénouement — 7. la fermeture — 8. fin, l'issue — 9. le finale — 10. la conclusion — 11. sa ruine — 12. la chute — 13. l'aboutissement.

4 p. 145

1. prendront fin… — 2. terminée, finie — 3. mettre fin à — 4. clos — 5. baisse le rideau — 6. mettre fin au, clore — 7. tire à sa fin — 8. cesse — 9. épuisé le sujet — 10. sont résolus — 11. fignoler — 12. terminer — 13. achever de — 14. fini — 15. est achevé.

5 p. 146 / Suggestions

1. Le dossier est définitivement clos. — 2. Venez immédiatement. — 3. Il répète indéfiniment les mêmes plaintes. — 4. Il a compris instantanément. — 5. Il travaille interminablement sur le même sujet. — 6. Il s'arrête momentanément dans ses recherches.

— 7. Il règle toujours ses factures ponctuellement. — 8. Primitivement il avait songé à organiser un colloque. — 9. Mon oncle doit revenir prochainement. — 10. Progressivement il reprend une meilleure santé. — 11. J'ai fait arrêter mon abonnement provisoirement. — 12. Nous reparlerons de cela ultérieurement.

⑥ p. 146

1. d'affilée, à la suite, de suite — 2. sur-le-champ — 3. d'affilée, à la suite — 4. de suite — 5. par la suite (faire des étincelles = réussir brillamment) — 6. ainsi de suite — 7. par la suite — 8. de suite — 9. tout de suite — 10. tout de suite — 11. à la suite.

⑦ p. 147

1. précoce — 2. retardé — 3. tardifs — 4. désuet — 5. vieilli, passées, obsolète *ou* vieux — 6. démodé, vieux — 7. intemporelles.

Sommaire